L'UNIVERSITÉ DU SUCCÈS

Tome II

©, Les éditions Un monde différent Ltée, 1986
Pour l'édition en langue française

Dépôts légaux : 1er trimestre 1987
Bibliothèque nationale du Québec
Bibliothèque nationale du Canada

Conception graphique de la jaquette :
MICHEL BÉRARD

Version française :
MESSIER & PERRON, INC.

Photocomposition et mise en pages :
HELVETIGRAF, QUÉBEC

ISBN : 2-89225-118-4

Og Mandino

L'UNIVERSITÉ DU SUCCÈS

Tome II

Les éditions Un monde différent, Ltée
3400, boulevard Losch, Suite 8
Saint-Hubert, QC
Canada J3Y 5T6
(514) 656-2660

Table des matières

CINQUIÈME SEMESTRE

Aimez-vous la vie?
Alors ne gaspillez pas le temps,
car il constitue l'étoffe même de la vie.

Benjamin Franklin

*La procrastination est l'un des maux
les plus courants et les plus mortels,
et qui provoque beaucoup d'échecs
et de malheurs.*

Wayne W. Dyer

Vingt et unième leçon

Comment lutter contre la procrastination

« Ne remettez jamais au lendemain ce que vous pouvez faire aujourd'hui. »

Chacun de nous connaît depuis l'enfance ce sage précepte de Benjamin Franklin. C'est l'expression préférée de bien des parents. Nos parents nous l'ont apprise et maintenant nous la répétons à nos enfants. Et pourtant, même si nous reconnaissons la grande vérité de cet axiome, nous vivons habituellement comme si l'axiome se lisait : « Ne faites jamais aujourd'hui ce que vous pouvez remettre au lendemain. »

Malheureusement le lendemain n'existe pas. On ne le retrouve que dans le calendrier des fous. Pour eux, demain est le jour où ils entreprendront leur cheminement vers le succès et la richesse ; demain est le jour où ils se corrigeront, travailleront plus fort, changeront leurs habitudes, répareront les amitiés brisées, rembourseront leurs vieilles dettes et se chercheront un meilleur emploi.

Mais demain n'arrive jamais et d'innombrables vies se gaspillent dans la procrastination. Comme l'écrivait jadis Stephen Leacock : « L'enfant dit : *Lorsque je serai grand*. Mais qu'est-ce

11

que cela veut dire? L'adolescent dit : *Lorsque je serai marié.*
Mais qu'est-ce qu'être marié, en fin de compte? La pensée
évolue pour devenir : *Lorsque je pourrai prendre ma retraite.*
Et lorsqu'arrive la retraite, l'individu jette un regard sur le pays
qu'il a traversé, qu'un vent froid semble balayer ; il a raté sa vie,
et c'est trop tard.»

Le succès et la procrastination sont absolument incompatibles. Pour réussir, vous devez, et vous pouvez, vous guérir de
la tendance à tout remettre à plus tard, et l'auteur à succès
Wayne W. Dyer vous expliquera comment vous y prendre, au
cours de cette leçon tirée de son livre, *Vos zones erronées.*

Tirez profit de cette leçon, non pas demain, mais maintenant...

Êtes-vous un temporisateur? Si vous êtes semblable
au commun des mortels, la réponse est oui. Mais il y a
alors des chances pour que vous souffriez de l'anxiété
caractérisant ceux qui remettent systématiquement les
choses à plus tard. C'est là un aspect extrêmement agaçant de l'existence. Combien de fois ne dit-on pas : « Je
sais que je devrais m'y mettre, mais je m'occuperai de ça
un autre jour.» Cette zone de brouillage qu'est l'atermoiement, il est difficile de la mettre sur le dos de quelqu'un d'autre. C'est vous, et seulement vous, qui êtes
responsable de vos tergiversations comme du malaise
qui en résulte.

L'atermoiement est presque une zone de brouillage
universelle. Très rares sont les gens qui peuvent affirmer
en toute sincérité qu'ils ne sont pas temporisateurs, en
dépit du fait que ce soit malsain à long terme. En soi,
comme c'est le cas pour toutes les zones erronées, ce
comportement n'est pas malsain. En définitive, la tem-

porisation n'existe même pas. Ou l'on agit ou l'on n'agit pas, et ne pas faire quelque chose, ce n'est pas le renvoyer à plus tard : c'est ne pas le faire, tout simplement. En réalité, ce qui est névrotique, c'est la réaction émotionnelle, le blocage qui s'installe alors. Si surseoir ne vous culpabilise pas, ne vous angoisse pas, ne vous trouble pas, n'hésitez pas à persévérer dans ce comportement et sautez le présent chapitre. Cependant, pour la plupart des gens, tergiverser est le moyen que l'on choisit pour ne pas vivre l'instant présent dans toute sa plénitude.

Les vœux pieux et les peut-être

« J'espère que les choses marcheront. »
« Je souhaite que les choses aillent mieux. »
« Peut-être que ça ira très bien. »

Telles sont les justifications de l'atermoiement. Tant que l'on dit « peut-être », tant que l'on formule des vœux pieux, on a une raison pour s'abstenir de passer immédiatement à l'action. Ces « peut-être », ces vœux pieux sont une perte de temps, la chimère des habitants du Pays des Merveilles. Jamais ils ne se réalisent. Ce sont tout simplement des alibis commodes pour ne pas retrousser ses manches, pour reculer devant des activités que l'on a jugées suffisamment importantes pour les faire figurer à son programme.

Vous pouvez faire tout ce que vous avez décidé d'accomplir. Vous êtes fort, vous êtes capable et vous n'êtes pas fragile pour deux sous. Mais en vous dérobant devant l'action, vous cherchez à fuir la réalité, vous doutez de vous et vous vous dupez vous-même. Le temporisateur refuse d'être fort dans le moment présent et préfère espérer que les choses iront mieux plus tard.

L'inertie comme stratégie

«Attendons et ça s'arrangera» est une phrase qui vous enferme dans l'inertie. Attendre perpétuellement un jour qui ne viendra jamais pour agir est chez certaines personnes une règle de vie.

Il y a quelque temps, un client, un certain Mark, est venu me voir. Il était malheureux en ménage. C'était un quinquagénaire marié depuis près de trente ans. Au bout de quelques minutes de conversation, il m'apparut clairement qu'il y avait belle lurette que Mark était malheureux. «Cela n'a jamais marché entre nous, même au début», me dit-il. Je lui demandai comment il avait fait pour tenir le coup pendant tant d'années. «J'espérais constamment que les choses s'amélioreraient», m'avoua-t-il. Près de trente ans d'espoirs... pourtant, Mark et sa femme s'entendaient toujours aussi mal.

De fil en aiguille, il finit par confesser qu'il était impuissant depuis au moins dix ans. Il n'avait jamais cherché de conseils en ce qui concernait le problème. Non, simplement, il faisait de moins en moins souvent l'amour en espérant que sa virilité reviendrait toute seule. «J'étais persuadé que les choses s'arrangeraient.» Toujours le même refrain.

C'est là un cas classique d'inertie. Mark fuyait les difficultés et justifiait cette attitude en disant : «Si j'attends sans rien faire, peut-être que ça s'arrangera tout seul.» Seulement, force lui était de reconnaître que les choses ne s'arrangent jamais toutes seules. Elles restent toujours en état. Au mieux, elles peuvent changer, pas s'améliorer. Non rien — ni les circonstances, ni les situations, ni les gens — rien ne s'arrange tout seul. Si votre vie s'est améliorée, c'est parce que vous avez fait quelque chose de constructif dans ce but.

Il faut analyser de façon plus approfondie ce comportement dilatoire. Il existe des solutions assez simples pour l'évacuer. C'est là une zone qu'il est possible de « nettoyer » sans efforts mentaux excessifs parce qu'on l'a créée soi-même et que, contrairement à bien d'autres zones erronées, ce n'est pas une contrainte culturelle imposée de l'extérieur.

Les mécanismes de la tergiversation

L'atermoiement, disait Donald Marquis, est « l'art de s'arrêter à hier ». J'ajouterai : et de fuir aujourd'hui. Vous savez qu'il y a certaines choses que vous voulez faire, non parce que d'autres l'ont décrété ainsi, mais parce que vous avez fait un choix délibéré. Et pourtant, beaucoup d'entre elles ne seront jamais réalisées, même si vous prétendez le contraire. Décider de faire plus tard ce que l'on pourrait faire tout de suite est un acceptable substitut à l'action qui permet de garder bonne conscience. C'est un système bien pratique qui fonctionne à peu près de la façon suivante : « Je sais qu'il faut absolument que je fasse ça, mais j'ai peur de ne pas le faire bien ou de trouver que c'est assommant. Aussi, je me dis que je le ferai plus tard. De cette façon, je n'ai pas à m'avouer que je ne le ferai pas. Cela me permet de m'accepter plus facilement. » Ce genre de raisonnement commode, encore que fallacieux, on peut y avoir recours quand on se trouve confronté à une tâche désagréable ou pénible.

Si vous vivez d'une certaine manière et prétendez que, demain, vous vivrez autrement, c'est une formule creuse. Vous êtes simplement quelqu'un qui tergiverse et qui n'agit jamais.

Il y a, bien sûr, des degrés différents dans l'atermoiement. On peut gagner du temps jusqu'à un certain point et se mettre à la besogne juste avant le délai limite. C'est, là aussi, une façon fort répandue de s'illusionner. Si vous vous accordez le minimum absolu de temps pour faire quelque chose, vous pouvez ensuite vous excuser vis-à-vis de vous-même de vos résultats médiocres en prétextant que vous n'avez pas disposé d'assez de temps. Or, vous avez tout le temps qu'il faut. Vous savez que les gens occupés font ce qu'ils ont à faire. Mais si l'on passe son temps à se lamenter parce qu'on est débordé (manœuvre dilatoire), il n'en reste plus pour accomplir sa tâche.

Un de mes confrères était un spécialiste de la tergiversation. Il était toujours en quête d'affaires à conclure et il ne cessait de parler de la somme de travail qu'il abattait. Rien qu'à l'entendre, ses interlocuteurs étaient épuisés en songeant à son rythme de vie. Pourtant, si l'on regardait les choses d'un peu plus près, on s'apercevrait que, en réalité, il accomplissait fort peu. Il avait des milliers de projets en tête mais cela s'arrêtait là. J'imagine que le soir, avant de s'endormir, il se racontait que, demain, il se mettrait à la tâche. Comment, en effet, aurait-il pu dormir du sommeil du juste sans cette illusion qui lui servait de bouée de sauvetage ? Peut-être savait-il que les choses en resteraient là, mais tant qu'il se jurait de passer à l'action, il était en sécurité.

On n'est pas forcément ce que l'on prétend être. Le comportement est un bien meilleur critère que les belles paroles. Ce que vous faites au jour le jour est le seul indicateur qui permet de jauger la personne que vous êtes.

Critiques et hommes d'action

La tergiversation systématique est une méthode qui permet d'éviter de passer à l'action. Celui (ou celle) qui n'agit pas est très souvent quelqu'un qui critique, qui regarde agir les autres et philosophe ensuite sur la façon dont ceux-ci agissent. La critique est aisée, mais agir exige des efforts, exige que l'on prenne des risques, exige que l'on change.

Le critique

Les critiques prolifèrent dans notre culture. Nous payons même pour les entendre.

Il suffit de s'observer et d'observer les autres pour se rendre compte qu'une très grande part des rapports sociaux est placée sous le signe de la critique. Pourquoi ? Tout simplement parce qu'il est plus facile de commenter l'action d'autrui que d'agir soi-même. Pensez aux vrais champions, à ceux qui ont accompli des prouesses de haut niveau pendant une longue période, aux Henry Aaron, aux Johnny Carson, aux Bobby Fisher, aux Katharine Hepburn, aux Jœ Louis et à tous ceux de la même trempe. Des grands. Des champions toutes catégories. Les voyez-vous assis dans un coin en train de critiquer gravement les autres ? Ceux qui sont vraiment des hommes et des femmes d'action n'ont pas le temps de critiquer. Ils ont trop à faire. Ils travaillent. Ils aident ceux qui ont moins de talent qu'eux au lieu de jouer les censeurs.

La critique constructive n'est pas sans utilité. Mais si vous avez choisi d'être un observateur au lieu d'être un homme d'action, vous ne pouvez pas vous épanouir. En outre, peut-être critiquez-vous pour faire endosser la responsabilité de votre manque d'efficacité à ceux qui font véritablement des efforts. On peut apprendre à traiter par le mépris ceux qui s'érigent en censeurs et en critiques. La première méthode consiste à identifier ce comportement en soi-même et à prendre la résolution de l'évacuer entièrement. Alors, on peut être un homme d'action au lieu d'être un censeur doublé d'un temporisateur.

L'ennui, fils de la temporisation

La vie n'est jamais ennuyeuse, mais il y a des gens qui choisissent de s'ennuyer. L'ennui, c'est l'incapacité de trouver sa plénitude dans le moment présent. Il s'agit d'un choix que l'on fait, d'une expiation et c'est encore là un de ces comportements négatifs qu'il vous est loisible d'éliminer. Quand vous tergiversez, c'est que vous préférez ne rien faire au lieu de faire quelque chose et ne rien faire débouche sur l'ennui. Alors, on accuse l'environnement. « Cette ville est vraiment assommante », « Ce que ce conférencier peut être barbant ! »

Or, ni la ville en question ni le conférencier ne sont jamais ennuyeux : C'est vous qui vous ennuyez. La solution est d'utiliser votre intelligence, votre énergie pour faire autre chose.

« L'homme qui s'ennuie est encore plus méprisable que l'ennui lui-même », disait Samuel Butler. En faisant dès maintenant ce que vous choisissez de faire, en orientant dès maintenant votre esprit vers des activités créatrices, vous aurez la certitude de ne plus jamais choisir de vous ennuyer. Et, une fois de plus, le choix vous appartient.

Quelques conduites dilatoires caractéristiques

Voici un certain nombre de circonstances où il est plus facile de tergiverser que d'agir :

— Ne pas quitter un emploi où l'on étouffe et qui vous empêche de vous épanouir.

— S'accrocher à des relations qui ont fait faillite. Rester marié (ou célibataire) en se contentant d'espérer que les choses iront mieux demain.

— Refuser de s'attaquer de front aux difficultés : rapports sexuels, timidité ou phobies, par exemple. Attendre que la situation s'améliore sans agir de façon positive pour qu'elle s'arrange.

— Ne pas lutter contre certaines intoxications comme l'alcoolisme, l'abus des médicaments ou le tabagisme en se disant qu'on y renoncera quand on le jugera nécessaire, tout en sachant que ce n'est qu'une dérobade parce qu'on n'est pas du tout sûr d'être capable d'y renoncer.

— Remettre à plus tard les corvées : nettoyer la maison, faire des réparations, coudre, tondre la pelouse, donner un coup de peinture, etc., dans l'espoir que, si l'on se fait tirer l'oreille assez longtemps, quelqu'un d'autre s'y mettra.

— Éviter d'avoir une confrontation avec un supérieur, un ami, votre amant ou votre maîtresse, un vendeur ou un prestateur de services. Il suffit de faire traîner les choses en longueur pour couper à la discussion alors que celle-ci pourrait améliorer vos rapports personnels ou les services que vous êtes en droit d'attendre.

— Avoir peur de changer de région et rester toute sa vie au même endroit.

— Renoncer à passer une journée ou une heure qui pourrait être bien agréable avec vos enfants sous prétexte que vous êtes surchargé de travail ou que vous avez de graves problèmes à résoudre. Ou bien, et c'est la même chose, ne pas aller au restaurant, au cinéma ou à un match avec de bons amis en arguant de vos occupations.

— Dire que vous commencerez votre régime demain ou la semaine prochaine. C'est plus facile que de prendre le taureau par les cornes. Vous déclarez « Je commencerai demain » mais, bien sûr, il n'en sera rien.

— Utiliser l'argument du sommeil ou de la fatigue pour remettre les choses à une date ultérieure. Avez-vous remarqué à quel point vous êtes fatigué quand vous devez faire quelque chose de désagréable ou de pénible ? La fatigue peut être une arme de dissuasion extraordinaire.

— Tomber subitement malade quand on doit accomplir une corvée. « Dans l'état où je suis, comment voulez-vous que je fasse ça, voyons ! » Comme la « fatigue » évoquée ci-dessus, c'est une excellente technique d'atermoiement.

— « Je n'ai pas le temps », le subterfuge qui vous donne un argument pour ne pas faire quelque chose en raison de votre emploi du temps chargé alors qu'il y a toujours de la place dans votre calendrier pour faire quelque chose qui vous plaît vraiment.

— Toujours rêver à des vacances ou à un voyage mythique... pour plus tard. L'année prochaine, à nous le Nirvana.

— Avoir une attitude critique et utiliser les critiques des autres pour camoufler son refus de passer à l'action.

— Ne pas se faire faire un bilan de santé alors que l'on a des inquiétudes. En remettant à plus tard, on fuit la réalité d'une éventuelle maladie.

— Avoir peur de faire un geste gentil envers quelqu'un que l'on aime bien. On voudrait bien le faire mais on préfère attendre en espérant que l'initiative viendra des autres.

— S'ennuyer en permanence. C'est là, tout simplement, une façon de surseoir. On prétexte de cet ennui pour ne pas faire quelque chose de plus passionnant.

— Décider de faire régulièrement de la gymnastique mais dire systématiquement que l'on s'y mettra sans tarder... dès la semaine prochaine.

— Consacrer toute sa vie à ses enfants et remettre à plus tard la recherche de son bonheur personnel. Comment peut-on prendre des vacances quand on a le souci de l'éducation des gosses ?

Pourquoi persévère-t-on dans les manœuvres dilatoires ?

La motivation se compose pour un tiers de mensonges que l'on se raconte à soi-même et, pour deux tiers, de dérobades. Les principaux avantages de l'atermoiement sont les suivants :

— D'abord, une constatation d'évidence : surseoir vous permet de couper à certaines corvées. Des choses auxquelles on a peur de s'attaquer ou que l'on hésite à faire, même si l'on en a envie. N'oublions jamais que rien n'est tout à fait noir ni tout à fait blanc.

— S'illusionner soi-même est rassurant. C'est tout profit : On s'épargne en se leurrant la nécessité d'avoir à admettre que, dans les circonstances présentes, on se détourne de l'action.

— C'est le moyen de rester ce que l'on est. Alors, on n'a pas à changer et on élimine automatiquement les risques que comporte tout changement.

— Quand une activité vous assomme et que vous êtes, en conséquence, malheureux, il y a toujours quelqu'un ou quelque chose que vous accusez d'être responsable de votre état d'âme. De cette façon, vous n'avez pas à assumer la responsabilité de vous-même : Si vous n'êtes pas bien dans votre peau, c'est parce que l'activité à laquelle vous vous livrez vous ennuie.

— En adoptant une attitude critique, on affirme sa propre importance aux dépens d'autrui. C'est le moyen de se mettre au-dessus des autres à ses propres yeux et critiquer la conduite des autres est encore une manière de se mentir à soi-même.

— Attendre que les choses prennent une tournure favorable vous permet de dire que si vous êtes malheureux, c'est la faute du monde entier. Rien ne vous réussit. Quelle admirable stratégie pour justifier l'inaction !

— Si l'on se détourne de toutes les activités impliquant un risque quelconque, on est sûr et certain de ne jamais échouer. C'est un excellent moyen d'éviter de douter de ses propres capacités.

— Croire au père Noël, c'est retrouver la situation protégée et sécurisante de l'enfance.

— On s'attire la compassion des autres et l'on s'apitoie sur soi-même en arguant de son mal de vivre qui n'est rien d'autre que le désagrément de ne pas faire ce que l'on voudrait.

— On excuse une contre-performance en prétendant que l'on a manqué de temps.

— À force de tergiverser, on peut, peut-être, inciter quelqu'un à agir à notre place. La tergiversation devient ainsi un instrument de manipulation.

— Elle vous permet de vous imaginer que vous êtes différent de l'homme ou de la femme que vous êtes.

— Ne pas faire un travail, c'est se condamner à ne pas réussir dans une entreprise. Et ne pas réussir, c'est éviter d'avoir à être fier de soi et d'endosser les responsabilités qu'implique le succès.

Maintenant que vous avez une idée des motifs qui vous poussent à adopter des attitudes dilatoires, vous pouvez attaquer cette zone de brouillage destructrice.

Quelques recettes pour éliminer la tergiversation

— Au lieu de vous fixer des tâches à longue échéance, prenez la décision de vous consacrer pendant cinq minutes à quelque chose que vous désirez faire et de refuser de remettre à plus tard ce que vous avez envie de faire.

— Entreprenez une tâche que vous avez différée jusqu'à maintenant. Par exemple, écrire une lettre ou commencer à lire un livre. Vous vous apercevrez que cet atermoiement était en grande partie inutile car, une fois que vous aurez décidé de vous jeter à l'eau, il y a de fortes chances pour que vous constatiez que cette tâche vous est agréable. Il suffit de commencer pour que disparaisse l'anxiété que le travail à accomplir vous fait éprouver.

— Posez-vous cette question : « Qu'est-ce qui pourrait m'arriver de pire si j'accomplissais la chose que j'ai différée jusqu'à présent ? » La réponse sera la plupart du temps tellement insignifiante que cela vous fouettera et que vous passerez à l'action. Une fois que l'on a pris la mesure de ses appréhensions, il n'y a plus aucune raison de les laisser nous paralyser.

— Décrétez que pendant un laps de temps donné (par exemple le mercredi de 10 h à 10 h 15), vous vous consacrerez exclusivement à la tâche que vous avez jusqu'ici renvoyée à plus tard. Vous vous apercevrez que ce quart d'heure de zèle suffit souvent à faire sauter le verrou de la tergiversation.

— Dites-vous que vous avez trop d'importance pour passer votre existence à vous tracasser parce que vous n'avez pas fait ceci ou cela. La prochaine fois que vous éprouverez l'angoisse qui va de pair avec ces dérobades, rappelez-vous que les gens qui s'aiment pour eux-mêmes ne se torturent pas de cette manière.

— Étudiez-vous attentivement. Demandez-vous ce que vous cherchez à éviter et prenez la décision de vous attaquer de front à votre peur de vivre. Tergiverser, c'est se détourner du présent en se tracassant pour l'avenir. Si l'événement futur investit le présent, l'angoisse doit disparaître.

— Arrêtez de fumer... dès maintenant ! Commencez votre régime... aujourd'hui ! Renoncez à boire... à partir de cette minute ! Refermez ce livre et mettez-vous à la tâche. C'est comme cela qu'il faut affronter les problèmes : en agissant immédiatement ! *Faites-le !* Passez à l'attaque ! Le seul obstacle, c'est vous-même et les choix névrotiques que vous avez faits parce que vous êtes persuadé de ne pas être énergique. C'est pourtant tellement simple... Foncez !

— Lorsque vous vous trouvez dans une situation que vous avez toujours considérée comme assommante, utilisez votre intelligence de façon créatrice. Pendant une morne conférence, posez une question pertinente pour casser le rythme. Ou livrez-vous à des exercices plus passionnants : composer un poème ou apprendre vingt-cinq chiffres à l'envers rien que pour le plaisir d'entraîner votre mémoire. Et prenez la décision de ne plus jamais vous ennuyer.

— Si quelqu'un vous critique, demandez-lui : « Croyez-vous que j'aie besoin qu'on me critique actuellement ? » Ou, si vous vous surprenez à avoir une attitude critique, demandez à votre interlocuteur s'il veut que vous lui fassiez part du fond de votre pensée et, dans l'affirmative, pour quelle raison. Cela vous aidera à quitter le camp des censeurs pour rallier celui des gens d'action.

— Examinez sérieusement votre vie. Faites-vous ce que vous choisiriez de faire si vous n'aviez plus que six mois à vivre ? Si la réponse est négative, dépêchez-vous de faire ce dont vous avez envie car, relativement parlant, c'est tout le temps qui vous reste à passer sur cette terre. Par rapport à l'éternité, trente ans ou six mois, c'est du pareil au même. Votre existence n'est qu'une goutte d'eau dans l'océan. Remettre les choses à plus tard est insensé.

— Ayez l'audace d'entreprendre une activité dont vous vous êtes jusque-là détourné. Un seul acte de courage peut faire disparaître la peur que vous éprouvez. Cessez de vous dire que vous devez absolument accomplir un exploit. Il est infiniment plus important d'agir, ne l'oubliez pas.

— Prenez la décision de ne pas vous sentir fatigué avant l'heure de vous coucher. Ni la fatigue ni la maladie ne doivent être une solution d'évasion, un moyen de retarder le moment de faire quelque chose, et vous constaterez peut-être qu'en éliminant le motif de cette maladie ou de cette fatigue, c'est-à-dire le désir de couper à une tâche, vos difficultés physiques disparaîtront « comme par magie ».

— Éliminez de votre vocabulaire les expressions du genre : « J'espère que... » « Pourvu que... », « Peut-être que... ». Ce sont là d'excellents instruments d'atermoiement. Remplacez-les par d'autres formules. Au lieu de dire : « J'espère que les choses marcheront », « Pourvu que ça s'arrange », « Peut-être que tout ira bien », dites : « Je vais faire en sorte que les choses marchent », « Je ferai ceci ou cela pour que ça s'arrange », « J'agirai de façon telle que tout aille bien ».

— Notez par écrit vos récriminations et vos reproches. Cela aura deux résultats. Vous vous rendrez compte de la manière dont ce comportement critique se manifeste — sa fréquence, ses modalités, les événements et les gens qui sont vos cibles favorites. Et, en outre, vous renoncerez à cette attitude parce que cette page d'écriture sera une pénible corvée.

— Si vous subissez la tentation de tergiverser dans une situation qui implique d'autres personnes (une initiative à prendre, un problème sexuel, un nouvel emploi), demandez leur opinion aux intéressés. Ayez le courage d'exprimer ouvertement vos appréhensions et posez-vous la question : Les motifs de mon hésitation n'existent-ils pas seulement dans ma tête ? En faisant ainsi appel à quelqu'un de confiance pour vous aider, vous verrez que l'angoisse liée à la tergiversation s'évanouit souvent quand on n'est plus seul.

— Passez avec ceux que vous aimez un contrat aux termes duquel vous vous engagerez à faire ce que vous avez envie de faire mais que vous retardez. Ce contrat devra prévoir des sanctions en cas de non-application. Qu'il s'agisse d'une partie de ballon, d'un dîner en ville, de vacances ou d'une soirée au théâtre, vous constaterez que cette stratégie est rentable et qu'elle vous apportera en outre des satisfactions personnelles puisque vous participerez de la sorte à des activités agréables.

Vous voulez que le monde change ? Eh bien, au lieu de ronchonner, faites quelque chose. Cessez de bloquer l'instant présent en vous rongeant parce que vous remettez les choses à plus tard. Prenez à bras-le-corps cette zone de brouillage négative et vivez ! Vivez dès maintenant. Soyez un homme, une femme d'action au lieu de critiquer et de faire des vœux pieux.

Vous possédez autant de ce bien
précieux que la personne la plus riche
au monde, et pourtant vous ne réalisez
sans doute pas votre richesse.

Arnold Bennett et Arthur Brisbane

Vingt-deuxième leçon
Comment choyer et utiliser la magie du temps

Si vous teniez soigneusement un journal de toutes vos activités pendant n'importe quelle période de sept jours consécutifs, vous seriez probablement étonné et honteux de constater combien d'heures vous perdez chaque semaine à faire peu de choses ou à ne rien faire du tout.

Cette leçon est particulière car non pas un, mais deux individus distingués vous entretiendront brièvement dans un but commun, celui de vous aider à apprécier ce don mystérieux appelé *temps* que nous possédons tous.

Arnold Bennett était un prolifique romancier anglais, connu surtout pour son chef-d'œuvre intitulé *The Old Wives Tale* [1]. Il a écrit près d'un demi-million de mots par année au plus fort de sa carrière, et ses amis lui demandaient toujours le secret de son incroyable production. En guise de réponse, il finit par écrire un petit livre intitulé *How to Live On Twenty-*

---

1. Littéralement : Conte de bonne femme (N. du T.).

Four Hours a Day[2], livre que se sont procuré des millions de lecteurs pendant soixante-dix ans et qui est toujours réédité de nos jours. La partie de cette leçon qu'on lui doit est tirée de ce livre.

En compagnie de monsieur Bennett, nous retrouvons un autre homme de lettres, Arthur Brisbane, qui nous livre une formidable suggestion qui pourrait nous valoir une fortune. Monsieur Brisbane, rédacteur en chef et journaliste américain, a réussi à tirer un incroyable revenu de ses entreprises, un revenu excédant un million de dollars par année pendant la grande dépression, surtout parce qu'il savait tirer le maximum de ce qu'il appelait ses « moments libres ».

Lisez d'abord l'extrait de monsieur Bennett, suivi de la leçon de monsieur Brisbane, tirée du livre *Elbert Hubbard's Scrapbook*[3], mais prenez garde : Même si les deux textes sont brefs, gardez-vous d'en prendre le contenu à la légère. Vous vous rappellerez sans doute souvent leurs paroles de sagesse au cours des prochaines années.

« Oui, c'est un de ces grands hommes qui sont de piètres gestionnaires. Bonne situation. Revenu régulier. Assez pour le luxe, sans compter les besoins. Pas vraiment extravagant. Et pourtant il a toujours des difficultés. Son argent ne lui procure rien. Logement excellent, à moitié vide ! On dirait toujours que les huissiers viennent d'y effectuer une saisie. Nouveau costume, vieux chapeau ! Merveilleuse cravate, pantalon usé ! Vous invite à dîner : verrerie de cristal, mauvais gigot, ou café

---

2. Littéralement : Comment arriver à vivre à l'intérieur d'une journée de 24 heures (N. du T.).

3. Littéralement : L'album de découpures d'Elbert Hubbard (N. du T.).

turc et tasse fêlée ! Il n'y comprend rien. L'explication, c'est tout simplement qu'il dilapide son revenu. Si je pouvais en avoir la moitié, je lui montrerais comment il faut faire ! »

Ainsi critiquons-nous, de temps à autre, en prenant notre air de supériorité.

Nous sommes presque tous des ministres des Finances, c'est l'orgueil de notre époque. Les journaux sont remplis d'articles qui nous expliquent comment vivre avec tel ou tel revenu, et ces articles suscitent une correspondance dont la violence prouve bien l'intérêt qu'ils soulèvent. Récemment, dans un quotidien, une vive discussion faisait rage autour de la question suivante : Une femme peut-elle bien vivre dans ce pays avec un revenu de 85 livres par année ? J'ai vu un essai intitulé « Comment vivre avec huit shillings par semaine ». Mais jamais je n'ai vu un essai intitulé « Comment arriver à vivre à l'intérieur d'une journée de 24 heures ». Pourtant on a souvent dit que le temps, c'est de l'argent. Ce proverbe ne va pas assez loin. Le temps est beaucoup plus que de l'argent, en général. Mais même si vous êtes aussi riche que le préposé au vestiaire de l'hôtel Carlton, vous ne pouvez vous acheter une minute de plus que moi, ou que le chat qui dort près du feu.

Les philosophes ont expliqué l'espace. Ils n'ont pas expliqué le temps. Il constitue l'inexplicable matière première de toute chose. Avec lui, tout est possible ; sans lui, rien. Le temps dont nous disposons est en vérité un miracle quotidien, un phénomène absolument étonnant lorsqu'on l'examine. Vous vous réveillez le matin, et voilà ! Vous disposez comme par magie de vingt-quatre heures de la mystérieuse substance de l'univers de votre vie ! C'est à vous. C'est la plus précieuse des possessions. Un bien pour le moins singulier, qui vous est donné d'une manière aussi singulière qu'il l'est lui-même !

Car voyez ! Personne ne peut vous le prendre. Il est impossible de le voler. Et personne n'en reçoit plus ou moins que vous.

Quel idéal démocratique ! Dans le domaine du temps, il n'y a pas d'aristocratie de la richesse, ni d'aristocratie de l'intellect. Le génie ne reçoit même pas une heure de plus par jour en récompense. Et il n'y a pas de châtiment. Gaspillez ce bien infiniment précieux autant que vous le voudrez, et son approvisionnement ne vous sera jamais retiré. Nul puissance mystérieuse ne dira : « Cet homme est un fou, sinon un fourbe. Il ne mérite pas le temps, et son approvisionnement sera interrompu.»

Le temps est plus sûr que les obligations et son approvisionnement n'est pas affecté par les dimanches. De plus, vous ne pouvez empiéter sur le futur. Impossible de vous endetter ! Vous ne pouvez que gaspiller le moment présent. Vous ne pouvez gaspiller le lendemain, on vous le garde. Vous ne pouvez gaspiller l'heure qui vient, on vous la garde.

J'ai dit que le phénomène constituait un miracle. N'en est-ce pas un ?

Vous devez vivre avec ces vingt-quatre heures quotidiennes. Vous devez en tirer la santé, le plaisir, l'argent, la satisfaction, le respect et l'évolution de votre âme immortelle. Il est de la plus grande urgence de s'en servir adéquatement, de la façon la plus efficace qui soit. Tout dépend de cela. Le bonheur, l'insaisissable récompense que vous recherchez tous, mes amis, dépend de cela. Il est étonnant que les journaux, qui sont si entreprenants et à la mode, ne soient pas remplis d'articles du type « Comment vivre à partir d'une somme de temps donnée », plutôt que « Comment vivre sur une somme d'argent donnée » ! L'argent est bien plus abondant que le temps. Lorsqu'on y réfléchit, on s'aperçoit que l'argent est à peu près la denrée la plus abondante qui soit. Il en existe des masses sur toute la terre.

Lorsqu'on ne peut vivre avec une certaine somme d'argent, on en gagne un peu plus, on en vole ou on en demande. On ne gâche pas nécessairement sa vie parce qu'on ne peut vivre avec mille livres par année ; on se roule les manches pour obtenir un peu plus d'argent, et on équilibre le budget. Mais lorsqu'on ne peut s'arranger pour qu'un revenu de vingt-quatre heures par jour couvre toutes ses dépenses de temps, on gâche définitivement sa vie. L'approvisionnement en temps, bien que tout à fait régulier, est très restreint.

Quels sont ceux d'entre nous qui vivent avec vingt-quatre heures par jour ? Je dis vivent et non pas existent ou se débrouillent. Quels sont ceux d'entre nous qui n'ont pas la désagréable impression que « le service de la comptabilité » de leur vie n'est pas géré comme il devrait l'être ? Quels sont ceux d'entre nous qui sont certains que leur beau costume n'accompagne pas un chapeau honteux, ou que malgré la beauté de la faïence, ils ont oublié de voir à la qualité de la nourriture ? Quels sont ceux d'entre nous qui ne se disent pas ou qui ne se sont pas dit toute leur vie : « Je vais corriger cela lorsque j'aurai un peu plus de temps » ?

Nous n'aurons jamais plus de temps. Nous avons, et nous avons toujours eu, tout le temps qu'il y a.

*   *   *

De nos jours, presque tous nos profits et parfois la totalité de notre succès dépendent de notre utilisation des détails, de ce que l'on appelle les « sous-produits ».

Un sous-produit est un élément secondaire au produit principal, et il a une véritable valeur qui lui est propre. Par exemple, dans le procédé de fabrication de l'essence, il y a beaucoup de sous-produits ; on les obtient à partir du charbon, celui-ci étant transformé en gaz d'éclairage. Et ces sous-produits, qui incluent le charbon utilisé pour le chauffage, suffisent en réalité à défrayer le coût de fabrication de l'essence.

Toutes sortes d'industries ont leurs sous-produits, leurs petits « à-côtés » qui s'avèrent très rentables. Par exemple, à l'énorme compagnie de viande de monsieur Armour, il y a d'innombrables sous-produits, allant des queues de porc salées et vendues en tant que mets délicats, aux poils d'animaux dont on fait de la corde très solide.

Si monsieur Armour ne fabriquait pas cette corde ou ne vendait pas les queues de porc, il ferait bien moins de profits. Pour le lecteur, la conclusion est la suivante : L'individu en général ne manufacture rien, mais chacun de nous est un marchand de temps.

Le temps est l'unique denrée que nous possédons tous. Notre succès dépend de l'utilisation que nous faisons du temps, ainsi que de ses sous-produits, les petits moments libres.

Nous travaillons tous quotidiennement, de façon routinière et plus ou moins mécanique. On travaille dans un bureau, on écrit, on tape à la machine, etc., un certain nombre d'heures par jour. Et c'est tout.

Mais qu'en est-il des sous-produits, des moments libres ? Savez-vous que les hommes qui ont accompli de grandes choses en ce monde sont ceux qui ont sagement utilisés ces moments libres ? Thomas A. Edison, par exemple, consacrait ses temps libres à la recherche d'une clé télégraphique alors qu'il était télégraphiste et touchait un salaire modeste. Il ne négligeait pas les sous-produits, les moments libres. Il réfléchissait, planifiait et expérimentait entre deux messages. Et il a découvert, sous forme de sous-produits de son travail de télégraphiste, toutes les inventions qui lui ont apporté des millions ; il a donné aux habitants du monde des milliards de dollars de nouvelles idées.

Dans sa biographie, Benjamin Franklin fournit d'innombrables exemples de l'utilisation qu'il faisait de ses temps libres. De centaines de façons, il parvenait à rendre ses heures de loisir utiles et productives.

Ce que fait un homme de ses moments libres ne lui apporte pas que du profit ; son activité mentale en bénéficie également. L'esprit recherche le changement, et il accomplit souvent des prouesses devant l'inhabituel, devant ce qui est étranger à la routine.

« Se contenter de ce qui est assez bien » est une devise malavisée pour celui qui désire progresser dans la vie. Premièrement, rien n'est « assez bien » lorsque vous pouvez faire mieux. Même si vous faites du très bon travail, faites-le mieux. Il y a un vieux proverbe espagnol qui dit : « Appréciez le peu que vous avez alors que l'imbécile cherche à en obtenir plus. »

L'Américain énergique devrait transformer ce proverbe comme suit : « Pendant que l'imbécile apprécie le peu qu'il a, je chercherai à en obtenir plus. »

Pour en obtenir plus, mettez à profit vos moments libres.

Chaque minute que vous économisez en la rendant utile et plus profitable s'ajoute à votre vie et à ses possibilités. Chaque minute perdue est un sous-produit gaspillé et vous ne le retrouverez jamais.

Pensez au petit quart d'heure le matin avant le déjeuner, à la petite demi-heure après le déjeuner ; profitez de ces occasions, qui se présentent à plusieurs reprises au cours de la journée, pour lire, planifier ou réfléchir sérieusement à votre carrière. Toutes ces occasions sont autant de sous-produits de votre existence quotidienne.

Utilisez-les et vous découvrirez peut-être ce que plusieurs ont découvert : Le véritable profit réside dans l'utilisation des sous-produits.

Vous entendez souvent parler de « tuer le temps » de la part de ceux qui n'ont pas de buts, qui ne réussissent pas ou qui sont sans valeur. L'homme qui tue constamment le temps détruit en réalité ses propres chances dans la vie, alors que celui qui est destiné au succès est l'homme qui donne la vie au temps en le rendant profitable.

*Existe-t-il un système vous permettant
d'aborder votre travail de manière à
ne jamais avoir à enregistrer de retards ?*

Alan Lakein

Vingt-troisième leçon
Comment tirer le maximum de vos priorités

La gestion du temps. L'enseignement de ce sujet est virtuellement devenu une industrie en soi. Partout où l'on regarde, il se donne des séminaires où l'on enseigne les meilleures façons de survivre en gérant mieux son temps. La plupart d'entre eux ont adopté et perfectionné une brillante technique destinée à sauver du temps, technique dont beaucoup ont bénéficié depuis plus d'un demi-siècle.

Lorsque Charles Schwab était président de Bethlehem Steel, Ivy Lee, un expert-conseil, lui fournit une méthode toute simple en l'assurant que celle-ci augmenterait grandement la productivité de chacun de ses cadres supérieurs :

Tout ce que vous avez à faire, lui conseilla M. Lee, c'est de prendre un bloc-notes ce soir et d'y dresser la liste de vos projets les plus urgents. Étudiez ensuite cette liste et numérotez-en chacun des éléments par ordre d'importance. À compter de demain, attaquez-vous au numéro un et menez-le à terme avant d'entreprendre le numéro deux. Procédez ainsi jusqu'à la fin de la liste. À la fin de la journée, dressez une nouvelle liste, numérotant à nouveau chacun des éléments par ordre d'importance. Procédez ainsi chaque jour, et lorsque vous constaterez les bons résultats que vous obtenez, confiez-en le secret à vos subordonnés.

Plusieurs semaines plus tard, Ivy Lee reçut un chèque de vingt-cinq mille dollars.

Alan Lakein a œuvré pendant plusieurs années comme expert-conseil en gestion du temps auprès de corporations et de cadres supérieurs. Il compte parmi ses clients la Bank of America et IBM, de même que nombre de vedettes de la scène. À partir d'un extrait de son populaire ouvrage intitulé *Comment contrôler votre temps et votre vie,* il vous explique comment cheminer vers la réussite en travaillant exactement comme le font certains des cadres américains les plus prospères.

Il m'a fallu plusieurs mois de recherches pour découvrir le grand secret qui nous permet de mieux remplir nos journées. Quand je me suis mis pour la première fois à creuser la question du meilleur usage possible du temps, j'ai interrogé des personnalités sur le secret de leur réussite. Je me rappelle le vice-président de la Standard Oil Company of California. Il m'a dit : « Oh, je me fais une liste des choses à faire. » Je n'y ai pas prêté grande attention sur le moment. Je ne me rendais pas compte de l'importance de ce qu'il avait dit.

Il se trouvait que je devais donner le lendemain une conférence sur la gestion du temps dans une ville importante. Pendant mon séjour, je déjeunai avec un homme d'affaires qui possédait pratiquement la ville. Il était président de la compagnie d'électricité et de gaz, président de cinq usines de fabrication et avait des intérêts dans une douzaine d'autres entreprises. C'était, à tout point de vue, une personnalité du monde des affaires. Je lui ai posé la même question : Comment réussissait-il à tout faire ? « Oh, pas compliqué, j'ai toujours une liste de choses à faire », m'a-t-il répondu. Mais cette liste n'était pas comme les autres. Il m'a confié qu'il la considérait comme un jeu.

Comme tâche prioritaire, le matin, il dressait la liste de ce qu'il voulait accomplir dans la journée. Il vérifiait, le soir, combien d'éléments de sa liste il lui restait encore à réaliser et s'attribuait une note. Son objectif consistait à obtenir un score parfait pour avoir biffé tous les éléments de sa liste du matin.

Il jouait à ce jeu comme on couvre les carrés d'une carte de bingo, en réalisant les objectifs de sa liste au fur et à mesure que les occasions se présentaient : Appeler Untel, faire valoir de nouvelles idées à une réunion, explorer les possibilités d'un projet le soir avec sa femme. Il avait soin de commencer par les priorités. Vers la fin de la journée, il s'attelait aux appels, actions ou lettres nécessaires pour compléter sa « carte de bingo » et obtenir un score parfait.

Chaque fois que je parlais à des hommes d'affaires prospères ou à des hauts fonctionnaires, cette fameuse liste des choses à faire revenait sur le tapis. J'ai donc demandé, lors de l'un de mes séminaires, combien de personnes avaient entendu parler des listes de choses à faire en priorité. C'était le cas de la vaste majorité d'entre elles. Je leur ai alors demandé combien d'entre elles composaient journellement une telle liste, par ordre de priorité, et biffaient ses éléments au fur et à mesure que les tâches indiquées étaient remplies. J'ai découvert que très peu de gens tenaient une liste quotidienne, même si la majorité en tenait une à l'occasion, lorsqu'ils avaient beaucoup de choses à faire qu'ils voulaient se rappeler ou lorsqu'ils devaient faire face à des urgences.

La nécessité d'une liste quotidienne

Tant les personnalités de premier plan que les gens modestes connaissent l'existence des listes de choses à faire, mais l'un des facteurs qui les distinguent tient à ce que les grandes personnalités, pour mieux occuper leur temps, en font un usage quotidien ; les autres, par contre, les connaissent sans en faire un usage effectif. L'un des secrets pour accomplir davantage est de tenir cette liste tous les jours, de la conserver à portée de la main et de se guider sur elle pour agir au cours de la journée.

Puisque cette liste est un instrument fondamental de gestion du temps, considérons-la de plus près. Les principes de cette liste sont simples : Inscrivez en haut d'une feuille de papier la mention « À faire », puis notez ce que vous voulez faire ; biffez au fur et à mesure que vous en terminez avec les tâches inscrites et ajoutez-en d'autres éventuellement ; recopier cette liste à la fin de la journée ou quand elle devient difficile à lire.

L'un des secrets de votre réussite est d'écrire tout ce que vous avez à faire sur une ou plusieurs listes que vous gardez ensemble, plutôt que de griffonner des petits bouts de papier. Vous pourriez conserver cette liste dans votre agenda. Un administrateur conserve sur son bureau un bloc-notes réservé à cette fin. Je connais une dame qui s'assure toujours que ses nouvelles robes aient une poche pour pouvoir y mettre sa liste.

Une maîtresse de maison perdait toujours ses listes. Elle passait plus de temps à chercher sa liste de la veille qu'à dresser la liste de la journée. Pour l'aider à s'assurer le contrôle de son temps, je lui ai demandé de placer toutes ses listes dans un carnet de notes. Cette solution présentait un autre avantage : Elle pouvait glaner sur ses anciennes listes les A qu'elle n'avait pas faits.

Certaines personnes essaient d'apprendre leurs listes par cœur, mais je sais d'expérience que c'est rarement aussi efficace. Pourquoi encombrer votre mémoire de choses que vous pouvez écrire ? Il vaut bien mieux garder son esprit libre pour des entreprises plus créatives.

Ce qu'il faut mettre sur cette liste

Allez-vous y inscrire tout ce que vous avez à faire, y compris les activités de routine ? Allez-vous n'y inscrire que les tâches exceptionnelles ? Allez-vous noter tout ce que vous *pourriez* faire aujourd'hui ou seulement ce que vous avez décidé de faire *absolument* ? Il existe bien des alternatives ; chacun adopte une solution différente. Je vous recommande de ne pas noter les activités de routine, mais toutes les urgences de la journée que vous pourriez oublier de régler si vous n'y apportiez pas une attention spéciale.

N'oubliez pas d'inclure dans la liste les activités A correspondant à vos objectifs à long terme. Même s'il peut sembler bizarre d'inscrire sur la même liste « commencer à étudier l'espagnol », « nouer de nouvelles amitiés » et « aller acheter un litre de lait », vous voulez faire tout cela le même jour. Si vous vous servez de votre liste comme d'un guide, il faut que vos projets à long terme y soient représentés également pour que, au moment de décider quoi faire, vous ne les oubliiez pas.

Mais avant même de commencer à vous mettre à la tâche, lisez la liste et voyez ce que vous pouvez déléguer, pas seulement à vos subordonnés ou au baby-sitter, mais à vos collègues et à vos supérieurs ou à d'autres personnes qui s'acquittent de leurs travaux plus vite et plus aisément ou qui pourraient vous indiquer des raccourcis auxquels vous n'avez pas pensé.

Compte tenu de vos responsabilités, vous pourriez, si vous vous y appliquez avec assez d'énergie, réaliser tous les éléments de votre liste dans la journée. Si c'est possible, faites de votre mieux. Mais vous pouvez sans doute prédire que c'est impossible. Lorsque vous avez trop de choses à faire, il vaut mieux faire un choix conscient que d'abandonner la décision au hasard.

Je n'insisterai jamais assez sur ce point : Vous devez absolument *vous fixer des priorités*. Certains remplissent autant de tâches que possible. Le pourcentage des tâches qu'ils accomplissent est très élevé, mais leur efficacité est réduite parce que la plupart des tâches ainsi faites sont de priorité C. D'autres, sans s'inquiéter de ce qui est important, suivent l'ordre dans lequel les tâches ont été inscrites. La meilleure méthode est d'inscrire à côté de chaque tâche un A, un B ou un C, d'en déléguer la réalisation autant que possible et, compte tenu de cela, de fignoler ce qui reste à faire sur votre liste.

Une de mes relations utilise des couleurs : le noir pour les tâches ordinaires et le rouge pour les urgences. J'ai découvert qu'il est pratique d'utiliser deux listes : une pour les A et les B, et une liste pour les nombreux C. Vous placez la liste des A et des B au-dessus de la liste des C ; ainsi, lorsque vous soulevez la première feuille pour accomplir des C, vous prenez conscience que vous ne faites pas là le meilleur usage de votre temps.

Les tâches peuvent être groupées de plusieurs façons. L'une est fonctionnelle. Voir, téléphoner, vérifier, penser, décider, dicter. Vous pouvez également grouper vos activités en fonction de leur thème (tout ce qui se rapporte à la pollution des eaux), du lieu (clients demeurant dans le même quartier), ou de la personne (plusieurs sujets qui réclament l'avis de votre patron). Une seule inscription sur votre liste peut englober plusieurs activités (mise à jour du courrier reçu à votre bureau ou les courses).

Ne vous inquiétez pas si vous n'arrivez pas à tout faire

Prenez maintenant votre liste ; faites les A, ensuite les B et, enfin, les C. Vous arriverez, certains jours, à tout faire, mais, le plus souvent, vous n'en aurez pas le temps. Si vous suivez l'ordre ABC, vous n'aurez parfois même pas le temps de terminer tous les A. D'autres fois, vous ferez les A et les B, ou encore les A, les B et quelques C. Il est rare que l'on puisse tout faire. Ce qui compte, c'est de faire le meilleur usage de votre temps. S'il ne vous reste que des B et des C, considérez de nouvelles activités possibles et ajoutez à votre liste d'autres inscriptions : Revoir votre système de classement pour le rendre plus pratique, terminer la lecture de *Guerre et Paix,* acheter un cadeau d'anniversaire pour votre tante, des A que vous aviez en tête mais qui n'avaient pas trouvé leur place sur votre liste de départ. S'il vous reste un peu de temps, vous pouvez les mettre en branle dès aujourd'hui.

Nombre d'employés de bureau, de maîtresses de maison et de professionnels participent à mes séminaires parce qu'ils estiment qu'ils ont besoin de « s'organiser ». Deux mois plus tard, ils me confient qu'ils se sentent bien plus organisés pour la bonne raison qu'ils font des listes et se fixent des priorités de manière régulière. Une infirmière en chef récemment nommée à ce poste a appliqué ce système des priorités à sa vie privée après en avoir découvert la valeur pour ses activités professionnelles. Il est tout aussi important de bien utiliser son temps en dehors du travail que dans le cadre de celui-ci.

Il ne s'agit pas de mener sa vie privée comme sa vie professionnelle, mais vous serez bien plus détendu si, à l'aide de cette liste, vous vous libérez rapidement des choses que vous avez à faire.

Il n'y a pas de tâches insignifiantes. Une liste de priorités est d'une valeur certaine parce qu'elle vous assure la sécurité morale qui vient de la certitude que rien ne manque. C'est une affirmation personnelle de tout ce qui compte pour vous ; elle vous motive à éliminer ce qui ne compte pas et c'est une réserve où vous pouvez puiser et sélectionner les activités à venir.

En accomplissant plus de A et moins de C, la hiérarchie de vos actions changera. Vous pouvez transformer vos anciens A en nouveaux A et B, dévaluant vos vieux B en C et rayant complètement les anciens C de la liste.

Comment faire davantage de ces choses qui comptent

Vous auriez par exemple, il y a un an, attribué un A à la journée de rencontre avec les professeurs de votre fille. Mais, cette année, vous avez un emploi à temps partiel dans une maison de mode. Votre fille sait que vous êtes très occupée et que cet emploi vous plaît beaucoup ; elle comprend que vous ne pourrez pas participer à cette journée, sauf si c'est en période de ralentissement des affaires. L'an dernier, vous vous êtes occupée personnellement et en détail de la prise annuelle d'inventaire. Heureusement, vous avez alors pris les dispositions nécessaires pour que, cette année, le A de l'an dernier (apprendre ce qu'il fallait faire) devienne un C. Vous pouvez maintenant déléguer l'inventaire au nouveau magasinier et employer votre temps à mieux commercialiser vos produits.

Le vendeur qui cherche toujours à améliorer sa clientèle découvre que les A de l'année dernière, les clients dans la catégorie des 100 dollars, sont les C de cette année. Ses clients A correspondent maintenant à des comptes de 500 dollars et ses B à des comptes de 250 dollars. S'il a ainsi revalorisé ses comptes-clients, c'est qu'il s'est consciencieusement occupé de développer ses comptes A. Il a consacré de plus en plus de temps aux clients qui achetaient pour plus de 100 dollars de marchandises, avec pour effet qu'il en est arrivé à ne voir dans les comptes de moins de 100 dollars que des C. Pour ainsi revaloriser ses comptes-clients, il a passé en revue les dossiers de ses clients chaque semaine pour éliminer, chaque fois, un compte particulièrement pauvre. L'expérience m'a appris que la majorité des vendeurs auraient grand avantage à rayer de leurs carnets 20 % de leurs clients en fonction de leur chiffre d'affaires actuel et potentiel.

Il n'en va pas autrement de l'apprentissage d'un instrument de musique. Lorsque vous vous mettez au piano, votre A est de jouer des morceaux faciles. Lorsque vous devenez plus habile, ce serait un C que de continuer à les jouer. Vous pratiquez alors des morceaux de plus en plus difficiles. Lorsque vous apprenez un morceau difficile, votre A consiste à le jouer lentement mais correctement et votre C de le jouer rapidement en risquant de faire de nombreuses erreurs. Votre A sera finalement, avec le temps, de le jouer à son tempo normal.

Dans votre processus d'apprentissage d'un usage efficace de votre temps, ce pourra être un A d'observer comment vous passez cinq minutes par heure pour en tirer une conscience plus exacte de l'emploi que vous faites du temps. Du moment où cela devient un automatisme, ce serait un C de penser au passage du temps, à moins que vous ne vouliez affiner votre sens du temps.

La personne qui fait un bon usage de son temps ne manque jamais de A. Elle ne s'interroge plus sur les A qu'elle devrait faire ni sur la façon de s'y prendre ; elle ne cherche pas à remplir un A à la perfection. Elle accomplit quotidiennement un certain nombre de A et sait que, dès qu'elle a découvert le meilleur usage possible qu'elle puisse faire de son temps, il faut qu'elle s'y mette sans délai.

L'objectif ultime d'une vie plus efficace
est de vous donner suffisamment
de temps pour en profiter un peu.

Michael LeBoeuf

Vingt-quatrième leçon
Comment vous organiser

William Faulkner disait un jour que ce qui est le plus triste dans la vie, c'est que la seule chose que nous puissions faire huit heures par jour, c'est travailler. Nous ne pouvons manger huit heures par jour, boire huit heures par jour ou faire l'amour huit heures par jour. Tout ce que nous pouvons faire pendant une période aussi longue, disait-il, c'est travailler, et c'est la raison pour laquelle l'homme se rend lui-même, de même que ceux qui l'entourent, si misérable et malheureux.

Le chercheur et expert-conseil Michael LeBoeuf offre des séminaires d'une portée incalculable où il enseigne aux gens comment tirer le maximum de leur temps et de leurs efforts de manière à ce que même leurs heures de travail ne comportent ni problèmes majeurs ni malheurs.

Dans son brillant ouvrage intitulé *Working Smart* [1] dont cette leçon est tirée, il demande « Qu'est-ce que le travail signifie pour vous ? Le considérez-vous comme une activité qui vous demande plus qu'elle ne vous apporte ? Pour vous, la distinction entre loisir et travail équivaut-elle à la distinction entre plaisir et douleur ? Vivez-vous pour travailler ? Travaillez-vous

---

1. Littéralement : Travailler intelligemment (N. du T.).

pour vivre? Quelles que soient vos réponses, une chose est sûre, le travail demeurera. »

Si vous avez décidé d'utiliser la liste des choses à faire de Alan Lakein, mentionnée dans la leçon précédente, vous avez déjà franchi un pas important en vue de vous débarrasser du chaos et des ennuis inhérents à tout travail.

Malheureusement, même si vous dressez chaque matin la plus belle liste des choses à faire qui soit au monde, vous risquez de ne jamais passer à travers le moindre de ses éléments si vous êtes désorganisé. Et à la fin d'une dure journée, n'ayant rien obtenu en échange de vos efforts, vous risquez d'être frustré, épuisé et pire encore.

Ne vous inquiétez pas; monsieur LeBoeuf est sur le point de vous montrer comment vous organiser, ce qui constitue une importante étape sur la voie du succès.

Dans l'un de ses films, W.C. Fields joue le rôle d'un administrateur dont le bureau est dans un désordre indescriptible. Dans l'une des scènes, il arrive à son bureau et s'aperçoit qu'un expert en efficacité l'a organisé, ordonné. Le dessus du bureau constitue maintenant un exemple de propreté et d'efficacité, mais Fields est mécontent. Il n'arrive plus à trouver quoi que ce soit! Alors il lance violemment en l'air les piles de papiers soigneusement rangés, puis les brasse comme s'il s'agissait d'une salade. Ensuite il se recule, jette sur le bureau un regard satisfait, tend prestement la main vers le désordre et y retire le document désiré.

Pour apprécier pleinement l'ironie de cette scène, il faut la placer dans une perspective historique. À l'époque où Fields connaissait la gloire, les experts en efficacité prêchaient l'évangile de l'organisation. L'un des grands péchés d'inefficacité consistait à avoir sur son bureau un élément étranger au travail en cours. Le bureau dégagé était considéré comme l'exemple par excellence de l'efficacité et de la productivité.

Aujourd'hui cela est moins sûr. Il ne fait pas de doute qu'une vie bien organisée est généralement beaucoup plus efficace qu'une vie de désordre. Nous pourrions pour la plupart améliorer notre efficacité en étant mieux organisés. Cependant, les règles strictes et ridiges ne sont pas nécessairement souhaitables lorsqu'il s'agit d'organisation. C'est ce que W.C. Fields tentait de nous dire dans le film. Nous devons nous organiser en tenant compte de notre personnalité et de la tâche en cours.

Dans la planification de votre vie, résistez à la tentation de vous organiser à l'excès ; cela peut être destructeur quant à votre efficacité. À l'université, j'avais un ami qui abandonna ses études à la fin du premier semestre. Il consacrait tout son temps à la lecture de livres qui indiquaient comment étudier, plutôt que de se mettre à étudier véritablement. Vous risquez de faire face au même problème en tentant de travailler plus efficacement. Rappelez-vous que ces idées ne sont que des moyens d'atteindre un but, celui-ci étant d'augmenter votre efficacité personnelle. Le fait de courir avec un chronomètre à la main et de conserver un bureau ordonné ne suffira pas à vous faire obtenir ce que vous désirez dans la vie.

Il existe néanmoins de bonnes mesures à prendre pour organiser votre vie et vos pensées. Si vous les mettez en pratique en tant que conseils plutôt que comme règles strictes et rigides, elles vous aideront à tirer le maximum de votre temps et de vos efforts. Dans cet ordre d'idées, examinons quelques-unes de ces mesures.

Servez-vous d'outils adéquats

Thomas Carlyle écrivit : « L'homme est un animal qui se sert d'outils... Sans outils il n'est rien, avec des outils il est tout. » Ces paroles valent d'être retenues. Combien de fois avez-vous échoué dans une activité pour vous rendre compte qu'un outil spécifique aurait pu vous épargner beaucoup de temps, d'énergie et de frustrations ? Nous faisons généralement ce type d'expérience lorsqu'il s'agit de réparer la voiture familiale ou d'exécuter certains travaux à la maison. Cela est dû au fait que nous avons tendance à considérer les outils en tant qu'objets tangibles, ce qui est, d'ailleurs, souvent le cas. Cependant, pour tirer le maximum de ce conseil, il nous faut utiliser le terme « outil » dans un sens beaucoup plus large.

Un outil, c'est tout élément que vous pouvez utiliser pour vous aider à atteindre vos buts. Quels que soient vos buts ou vos activités, vous devez toujours vous servir d'outils. Si vous êtes comptable, vos outils incluent les crayons, le papier et les calculatrices, de même que votre diplôme de comptable et vos connaissances pratiques. Si vous travaillez dans un bureau, la pièce elle-même avec son bureau, sa chaise et son plancher, constitue un outil.

Il y a des outils moins évidents : les automobiles, les tableaux statistiques, les journaux, les langues étrangères, les techniques d'interview... ; la liste s'étend à l'infini.

Avant de vous attaquer à une tâche ou de vous lancer à la poursuite d'un but, faites une pause et demandez-vous : « Quels sont les outils nécessaires à cette tâche et est-ce que je les ai ? » Si vous n'avez pas les outils adéquats, envisagez d'abord de confier la tâche à quelqu'un d'autre. Cette mesure vous permettra peutêtre d'épargner du temps, de l'énergie et des frais. Cependant, s'il s'agit d'une tâche que vous seul pouvez faire, efforcez-vous de vous munir d'abord des meilleurs outils disponibles. La différence entre le sage et l'idiot réside souvent dans les outils qu'ils choisissent.

Organisez votre espace de travail

Examinez l'environnement dans lequel vous exécuterez la tâche. L'organisation de votre espace de travail est surtout une question personnelle qui dépend de vos goûts et de la tâche à accomplir. Il y a cependant plusieurs facteurs de base qu'il faut respecter :

1. *Le lieu.* Si vous avez la chance de pouvoir choisir votre lieu de travail, tenez compte de la tâche à accomplir. Si elle nécessite beaucoup de concentration, recherchez un endroit calme et tranquille. Par ailleurs, si vous mettez sur pied un commerce, optez pour un endroit achalandé facilement accessible aux clients potentiels.

2. *L'espace.* Lorsque vous aurez choisi le lieu approprié, déterminez l'espace qui vous sera nécessaire. En général, on n'en a jamais assez. Il est utile de savoir quel est l'espace disponible avant d'y installer les outils nécessaires.

3. *Un accès facile aux outils fréquemment utilisés.* Il peut vous être utile de dresser la liste des outils que vous utiliserez, en les ordonnant selon la fréquence de leur utilisation. Vous disposerez ainsi d'un guide permettant d'y accéder le plus facilement possible.

Évitez d'encombrer votre lieu de travail d'éléments qui ne sont pas essentiels. La tête d'orignal que vous avez fait empailler à la suite de votre dernière partie de chasse au Canada vaut peut-être le coup d'œil, mais si elle vous distrait, placez-la ailleurs. De plus, elle occupe peut-être un espace où vous pourriez installer un outil plus utile, un tableau d'affichage par exemple.

4. *Le confort.* Il y a des gens qui ne croient pas qu'un lieu de travail doive être confortable. Ce sont généralement ceux qui répètent sans cesse que le travail est dur ou désagréable en soi. L'inconfort est en fait une distraction nuisible à la productivité. Pourquoi rendre les choses plus difficiles qu'elles ne le sont déjà ? La vie comporte déjà une part plus que suffisante d'inconfort, de distractions et de frustrations.

Un lieu de travail confortable comporte généralement des sièges, une ventilation et un éclairage adéquats. Si vous travaillez assis pendant de longues périodes, choisissez un fauteuil ferme et confortable qui supporte bien le dos. Faites en sorte qu'il soit assez confortable pour que vous n'ayez pas à vous lever toutes les dix minutes ; cependant, qu'il ne soit pas trop confortable : Vous pourriez vous y endormir. Pour éviter les problèmes de la vue, dotez le lieu de travail d'un éclairage uniforme.

Une ventilation adéquate aidera à prévenir la fatigue inhérente à la lourdeur de l'air. Le degré de température au travail est une question personnelle. Cependant, évitez les courants d'air.

Utilisez avec art votre bureau

Une grande majorité de gens effectuent leur travail à un bureau. Comme je l'ai mentionné plus tôt, le bureau est un outil et c'est un des outils les plus mal utilisés.

Alors, avant de s'attaquer à l'utilisation maximale de cet outil, voyons ce qu'un bureau n'est pas.

Le bureau n'est pas :

1. *Un endroit pour organiser une collecte de papier.* Si j'en juge par les nombreux bureaux encombrés que j'ai vus, je suis convaincu que les partisans du recyclage du papier trouveraient davantage leur profit sur les bureaux de certains immeubles qu'en ramassant de vieux journaux dans les centres commerciaux.

2. *Un endroit pour déposer de la nourriture, des vêtements, des parapluies et autres objets étrangers au travail.* J'ai déjà emménagé dans un bureau pour m'apercevoir que je partageais celui-ci avec une colonie de fourmis. Il semble que mon prédécesseur m'avait laissé un grand sac de friandises dans le tiroir supérieur droit, mais les rusées petites bestioles m'avaient devancé.

3. *Un endroit où placer les choses que vous craignez d'oublier.* Un cadre allemand faisait un jour remarquer à Alec Mackenzie que les dessus de bureaux sont encombrés parce que nous y déposons des choses que nous craignons d'oublier. Le problème, c'est que ça marche. Chaque fois que nous levons les yeux, nous apercevons toutes ces choses que nous ne voulons pas oublier, et notre esprit vagabonde, nous distrayant du travail en cours. Avec le temps, la pile grossit et on oublie où l'on en est. Alors on perd beaucoup de temps à remettre de l'ordre dans tout ça et à penser à toutes ces choses qu'on ne veut pas oublier. Merrill Douglass, un expert en gestion du temps, raconte qu'il avait soigneusement noté l'emploi du temps d'un cadre dont le bureau était encom-

bré. Cet emploi du temps révéla que l'homme passait deux heures et demie par jour à chercher de l'information parmi le désordre de son bureau !

4. *Un signe de prestige ou un endroit où placer ses distinctions, récompenses et autres trophées.* Cette utilisation erronée du bureau nous amène à nous doter de bureaux plus grands que nécessaire. En disposant d'une plus grande surface, nous avons plus d'espace à mettre en désordre.

Maintenant que nous avons déterminé ce que le bureau n'est pas, voyons ce qu'il est. C'est un outil permettant de recevoir et de traiter de l'information et on doit l'utiliser en tenant compte de ces objectifs.

Peut-être avez-vous un bureau sans en avoir besoin. Lawrence Appley, ex-président de l'American Management Association, remarquait que la plupart des bureaux nuisent à la prise de décisions. Certains cadres se sont débarrassés de leurs bureaux et ont déclaré que leur efficacité s'était accrue. Ils ont remplacé le bureau et le fauteuil conventionnels par un fauteuil genre séjour, un porte-bloc, une petite table sur roulettes et des classeurs. Les adeptes de ce changement enregistrent une amélioration des communications interpersonnelles et un climat de plus grande liberté. Ils ne se sentent plus enchaînés à un bureau. Envisagez la possibilité de vous passer de votre bureau et, si vous pouvez vous en débarrasser, essayez de vous en passer et voyez les résultats.

Comment réorganiser efficacement votre bureau

Si vous avez besoin de votre bureau, peut-être désirez-vous le réorganiser. Si tel est le cas, réservez-vous plusieurs heures où vous ne serez pas interrompu.

La réorganisation d'un bureau est un bon projet pour la matinée du samedi et peut être exécuté comme suit :

1. Procurez-vous une grande poubelle.

2. Retirez tout ce qui se trouve sur le dessus du bureau et dans chaque tiroir. Jetez tout ce qui ne sert plus.

3. Dressez la liste de tout ce qui reste selon l'ordre d'importance de chacun des éléments. En regardant chacun des éléments, demandez-vous : « Quelle est la pire chose qui puisse arriver si je jette cela ? » Si la réponse n'est pas bien grave, jetez l'objet.

4. Examinez d'un œil critique tout ce que vous avez conservé en ne déposant que ce qui est essentiel sur votre bureau ou dans ses tiroirs. Les articles que vous ne comptez pas utiliser souvent doivent être rangés ailleurs, dans un classeur ou sur une étagère par exemple.

5. Installez-vous un système de classement dans les tiroirs profonds, avec des dossiers bien identifiés et d'un accès facile et rapide. Passez périodiquement en revue tous vos dossiers et ne conservez dans votre bureau que ceux qui sont essentiels. Près de quatre-vingt-dix pour cent de tous les dossiers de plus d'un an ne sont jamais plus consultés.

6. Pour utiliser le principe « entrée-sortie » pour le traitement de l'information, procurez-vous deux corbeilles à dossiers, une pour les dossiers en attente et l'autre pour les dossiers consultés et sur le point d'être acheminés. Les dossiers peu importants ou devant être consultés ultérieurement peuvent être rangés dans le tiroir-classeur, à condition que celui-ci soit régulièrement inventorié.

Mesures à prendre lorsqu'on travaille à un bureau

Si vous vous êtes donné le mal de réorganiser votre bureau, vous avez fait un énorme progrès en vue de faire de votre bureau un outil plus efficace. Certains trouvent profitable de réorganiser leur bureau à tous les six mois. Les conseils suivants visent à améliorer votre efficacité au bureau, tout en réduisant l'encombrement.

1. N'ayez qu'un projet à la fois sur votre bureau, le projet le plus important du moment.

2. Ne déposez un dossier sur votre bureau que lorsque vous êtes prêt à vous y attaquer. En attendant, conservez-le hors de votre vue, dans un classeur ou un tiroir.

3. Ne vous laissez pas distraire par d'autres tâches plus faciles ou plus attrayantes. Attaquez-vous à la tâche la plus importante et persévérez jusqu'à ce qu'elle soit complétée.

4. Une fois la tâche complétée, déposez-la dans la corbeille d'expédition. Vérifiez alors vos priorités et passez à la suivante.

5. Une secrétaire, si vous en avez une, peut conserver votre bureau en ordre et voir à ce que la priorité du jour vous attende chaque matin sur votre bureau.

Comme je l'ai indiqué plus tôt, il s'agit tout bonnement de conseils ; il est possible qu'ils ne vous soient d'aucune utilité. Même si vous êtes obsédé par la propreté du bureau, votre travail ne se fera pas tout seul, et pour certains il ne s'agit que d'une distraction supplémentaire les empêchant de travailler efficacement. Choisissez une approche conforme à votre personnalité et au travail à accomplir, mais soyez honnête avec vous-même. Bien peu de gens donnent le meilleur de leurs possibilités avec un bureau extrêmement encombré et désorganisé.

Améliorez votre capacité de concentration

La concentration, sous quelque forme que ce soit, est un phénomène étonnant. À l'âge de six ans, je fus très impressionné lorsqu'un de mes amis alluma un bout de papier en y concentrant les rayons du soleil à l'aide d'une loupe. Notre temps et notre énergie sont semblables aux rayons du soleil. Dans la mesure où nous concentrons nos efforts, nous réussissons à obtenir ce que nous désirons dans la vie. La concentration a permis à bien des hommes de capacités modestes d'atteindre des sommets de réussite qui ont souvent échappé aux génies.

Réfléchissez avec un crayon à la main

En notant vos idées, vous concentrez automatiquement toute votre attention sur elles. Rares sont ceux d'entre nous qui peuvent noter une pensée en réfléchissant à autre chose. Ainsi, le crayon et le papier constituent d'excellents outils de concentration.

Chaque fois que vous avez besoin de vous concentrer, prenez l'habitude de réfléchir avec un crayon à la main. À mesure que les idées vous viennent, notez-les. En notant vos idées, vous y réfléchirez automatiquement et vous les clarifierez. Vous disposerez bientôt d'une liste de pensées à examiner. Vous verrez sans doute bien plus facilement quelles sont les idées irrationnelles, erronées ou conflictuelles si vous pouvez y jeter un regard d'ensemble.

Consacrez votre lieu de travail au seul travail

Nous sommes tous des créatures d'habitude et la majeure partie de notre comportement nécessite peu de réflexion, sinon pas du tout. Nous apprenons à associer certains comportements à certains environnements. Si nous ne nous efforçons pas de développer de bonnes habitudes sur le lieu de travail, nous risquons d'acquérir toutes sortes d'habitudes improductives et coûteuses en termes de temps et d'énergies.

Une des façons d'améliorer notre capacité de concentration consiste à réserver le lieu de travail au seul travail. Par exemple, si vous travaillez assis derrière un bureau, n'y faites rien qui n'ait aucun rapport avec le travail. Lorsqu'un visiteur survient, levez-vous et éloignez-vous du bureau. Si vous vous laissez aller à bavarder assis à votre bureau, vous cesserez de considérer exclusivement votre bureau comme un lieu de travail. Lorsque vous faites une pause, éloignez-vous de votre lieu de travail. Assoyez-vous dans un autre fauteuil ou rendez vous dans une autre pièce. Si vous prenez l'habitude de travailler à un endroit précis, vous prendrez aussi l'habitude de vous mettre au travail beaucoup plus facilement le moment venu.

Les pauses et les ralentissements constructifs

Dans l'art de bien exécuter une tâche, il faut savoir comment et quand prendre du recul. La persévérance aveugle est affaire d'idiots. Elle suppose que l'on substitue l'acharnement à l'intelligence.

Lorsque vous vous retrouvez mentalement incapable de résoudre des problèmes, procédez à une retraite tactique. En vous entêtant à avancer, vous serez confus et frustré. Peut-être vous faut-il plus d'information concernant la tâche, ou plus de temps pour digérer et assimiler cette information.

Lorsque vous devez interrompre votre travail, il y a plusieurs mesures que vous pouvez prendre pour rendre votre retour plus agréable et plus productif :

1. Essayez de terminer votre travail sur une note satisfaisante. Ainsi vous considérerez le travail d'un bon œil et vous serez plus impatient de le reprendre.

2. Essayez de vous arrêter après une réussite.

3. Si vous abandonnez devant une difficulté, notez le problème et efforcez-vous de préciser ce qui vous empêche de progresser.

4. Déterminez votre prochain point de départ logique. Cela vous évitera de perdre du temps lorsque vous reprendrez la tâche.

Améliorez votre persévérance

Savoir quand s'arrêter est une bonne manœuvre tactique, mais la tâche ne se termine pas d'elle-même. Vous devez tôt ou tard vous attaquer à la tâche et la compléter. Voici quelques idées qui pourront vous aider à terminer les tâches que vous commencez.

1. Développez de l'intérêt pour votre travail. L'intérêt et la motivation vont de pair. Obtenez plus d'information. Plus vous connaîtrez votre travail, plus vous y serez absorbé.

2. Essayez de visualiser la satisfaction que vous retirerez une fois la tâche complétée. Imaginez votre apparence lorsque vous aurez perdu ces dix kilos, ou votre bien-être lorsque vous aurez cessé de fumer. Pensez au meilleur emploi que vous aurez et à la vie plus heureuse que vous mènerez lorsque vous obtiendrez enfin ce diplôme ou cette promotion.

3. Fixez-vous des échéances.
4. Essayez d'éviter les interruptions et les distractions.
5. Joignez vos efforts à ceux d'un individu fiable. Lorsque vous vous engagez à faire quelque chose avec quelqu'un d'autre, vous avez plus de chance de faire le travail qu'en vous y attaquant seul. Lorsque j'étais à l'école secondaire, nous étudiions en groupes ou deux par deux afin de nous forcer à apprendre. Nous appelions cela « coopérer et réussir ». L'important, c'est que chacun soit fiable. Si les deux parties s'engagent à accomplir quelque chose, elles s'encouragent mutuellement.

Améliorez votre mémoire

Un de nos plus précieux outils pour épargner du temps et de l'énergie est la mémoire. Sans la mémoire, tout notre apprentissage serait inutile. Il nous faudrait réagir à chaque situation comme si nous ne l'avions jamais vécue. Nous utilisons notre mémoire pour apprendre à marcher, à parler, à emmagasiner des données, à résoudre des problèmes, à conduire des automobiles, à lire et à faire bien d'autres choses. Les utilisations et les capacités de la mémoire humaine constituent un miracle. Vous pouvez emmagasiner plus d'informations dans votre cerveau que dans les ordinateurs les plus poussés qui soient.

Malheureusement, le stockage de l'information et son retrait sont deux choses distinctes. C'est dans ce domaine que l'ordinateur nous surpasse. Cependant, la plupart d'entre nous peuvent améliorer leur capacité de stockage et de retrait d'informations, à condition de comprendre le fonctionnement de la mémoire et de mettre en pratique de simples concepts d'amélioration de celle-ci.

Votre mémoire n'est pas un objet, c'est une épreuve de compétences. On ne peut la voir, la sentir, l'examiner ou la peser. La mémoire comporte trois stades généraux :

1. *Le souvenir.* Laisser entrer l'information qui doit être stockée.
2. *L'enregistrement.* Le stockage des données dans le cerveau pour une utilisation ultérieure.
3. *Le retrait.* Le rappel des données nécessaires. Ce stade final est la cause de nos plus grands problèmes. Combien de fois vous êtes-vous dit : « Je l'ai sur le bout de la langue » ?

On peut faire bien peu de choses pour améliorer cette capacité de rappel en soi. Cependant, cette capacité dépend grandement de la façon dont nous enregistrons l'information, et nous pouvons améliorer notre mémoire en modifiant nos méthodes d'enregistrement. Voici certaines suggestions qui vous aideront à tirer le maximum de votre mémoire :

1. Enregistrez des données lorsque vous êtes reposé. Si vous essayez de mémoriser quoi que ce soit lorsque vous êtes fatigué, vous risquez grandement d'échouer.
2. Fractionnez les listes en plus petites unités et sous-catégories avant d'entreprendre de les mémoriser. Si vous désirez mémoriser les capitales de vingt pays, formez cinq groupes de quatre pays, ou six groupes de trois et un groupe de deux.
3. Répétez-vous les données à plusieurs reprises. Il peut aussi être utile de les noter.

4. Répartissez votre apprentissage en plusieurs périodes. Commencez chaque nouvelle période par une révision de ce que vous avez préalablement mémorisé, de manière à conserver ces données fermement ancrées dans votre esprit.

5. Reliez chacun des éléments à mémoriser à des idées, des personnes ou des symboles qui vous sont familiers. Par exemple, vous pouvez sans doute vous rappeler en gros la forme de l'Italie, qui ressemble à celle d'une botte. Pouvez-vous faire la même chose avec la Yougoslavie ?

6. Disposez les idées à apprendre en une formule ou un code pouvant vous en faciliter la mémorisation. Par exemple, dans les cours de publicité, les professeurs utilisent le mot-code AIDA pour « éveiller l'Attention, susciter l'Intérêt, stimuler le Désir et passer à l'Action ». Il y a bien d'autres exemples de ce genre.

7. Servez-vous de vos moments libres, vos moments d'attente par exemple, pour mémoriser. Transportez des fiches sur vous pour une consultation rapide et facile.

J'ai fait appel à ces sept suggestions pour résoudre les deux plus grands défis qui s'offraient à ma mémoire. Pour obtenir mon doctorat, j'ai dû passer des examens de traduction en deux langues étrangères (français et allemand). Je n'avais jamais eu aucun contact avec l'allemand et mon français se limitait à épeler mon nom et à lire les noms de rues de la Nouvelle-Orléans. J'ai néanmoins réussi ces deux examens six semaines après avoir commencé à étudier. J'ai commencé par acheter des cartes de vocabulaire (un millier) et un ensemble de livres de lecture. Chaque jour je faisais une heure de lecture et j'apprenais trente nouveaux mots. Avant d'apprendre de nouveaux mots, je révisais les mots déjà appris pour mieux les assimiler. En cinq semaines j'avais appris les mille mots et ma compétence en lecture et en traduction était en bonne voie. Je consacrai la dernière semaine à la révision et au perfectionnement. Je réussis avec brio les deux examens.

Si vous utilisez certains des aide-mémoire modernes, regroupés sous le nom de mnémonique, vous pourrez vous étonner et fasciner les autres grâce à vos prouesses de mémorisation. Grâce à un entraînement adéquat, à peu près n'importe qui peut apprendre à jeter un rapide coup d'œil à un jeu de cartes et à se les rappeler dans l'ordre, à rencontrer cinquante personnes et à se rappeler leurs noms instantanément ou à mémoriser plus de cent numéros de téléphone. Si vous désirez plus de renseignements en ce qui concerne l'amélioration de la mémoire, il existe plusieurs bons ouvrages sur le sujet, incluant celui du docteur Kenneth Higbee intitulé *Your Memory*[2].

Regroupez les petites tâches

Nous avons tous à faire face à de nombreuses tâches mineures qui requièrent une attention régulière. Il y a les factures à payer, les courses à faire, le travail ménager, les travaux à l'extérieur de la maison, les petites réparations, la correspondance, les lectures et les appels téléphoniques à faire. S'attaquer à ces tâches sans aucun système est la meilleure façon de dépenser beaucoup d'énergie sans aller nulle part.

Pour empêcher ces tâches mineures de nuire à votre efficacité, vous pouvez les regrouper selon leur nature et ensuite vous attaquer à un groupe à la fois. Essayez de

2. Littéralement : Votre mémoire (N. du T.).

faire toutes vos courses en une seule sortie. Allez à l'épicerie, à la banque, au lave-auto et à la station-service en un seul voyage. Effectuez plusieurs corvées domestiques de suite, ou même simultanément si possible. Accumulez vos factures et payez-les d'un seul coup chaque mois. Essayez de faire plusieurs appels téléphoniques et de rédiger plusieurs lettres au cours d'une même séance. Ces regroupements de tâches constituent une méthode efficace d'empêcher que les détails mineurs de votre vie ne nuisent à la réalisation de vos objectifs majeurs.

Stratégie pour résoudre les problèmes

Comme vous le réalisez maintenant, la planification et l'établissement de buts équivalent fondamentalement à un processus de prise de décisions, et prendre des décisions équivaut à résoudre des problèmes. Lorsque vous abordez un problème, vous êtes à mi-chemin de sa solution. Les suggestions qui suivent vous aideront à affronter de plain-pied et sans attendre tous les obstacles au succès.

Ne compliquez pas inutilement vos problèmes

Nous vivons à une époque de haute technologie, de voyages vers la Lune, de cerveaux électroniques et de puissance nucléaire. La complexité est la norme. Par conséquent, nous en sommes venus à supposer que toutes les facettes de la vie sont complexes. Dans notre société, on semble croire tacitement que rien ne peut être simple désormais. Trop souvent, lorsque l'on a le choix entre une solution complexe et une solution simple à un problème, on opte pour la solution complexe. La blague qui veut qu'il faille cinq hommes pour changer une ampoule électrique (un pour tenir l'ampoule et quatre pour le faire tourner) nous fait rire. Mais comme toute bonne blague, celle-ci comporte un fond de vérité. Lorsque vous tentez de résoudre un problème, recherchez d'abord une solution satisfaisante et simple. Vous vous économiserez peut-être beaucoup de temps.

Abordez les problèmes avec créativité

Souvent nous n'arrivons pas à résoudre notre problème à cause de la façon personnelle dont nous l'envisageons. Nous connaissons sans doute tous l'histoire du camion qui était bloqué sous un viaduc. On fit appel à une équipe d'ingénieurs pour déterminer une façon de dépanner le camion. Fidèles à leur profession, ils abordèrent le problème en ingénieurs et se livrèrent à des calculs complexes. Un petit garçon qui les regardait faire demanda à l'un des ingénieurs : « Hé, monsieur, pourquoi ne dégonflez-vous pas les pneus ? » Immédiatement, le problème fut résolu.

Plus nous envisageons un problème de manières différentes, meilleures sont nos chances de trouver une solution satisfaisante.

Alex F. Osborne, un génie de la publicité, a mis au point une liste de vérification réunissant des idées qui permettent de stimuler la créativité. Peut-être trouverez-vous cette liste utile, comme moi, lorsque vous devrez résoudre des problèmes :

Pouvons-nous :

1. Modifier ?
   _____ Ce qu'il faut ajouter.
   _____ Plus de temps, une plus grande fréquence.
   _____ Plus fort, plus haut, plus long, plus épais.
   _____ Doubler, multiplier, exagérer.
2. Minimiser ?
   _____ Ce qu'il faut enlever.
   _____ Plus petit, condenser.

_____ Omettre, amincir, séparer.

_____ Abaisser, raccourcir, alléger.

3. Substituer ?

_____ Autres procédés, ingrédients, matériaux.

_____ Autre endroit, autre approche.

4. Réarranger ?

_____ Changer les composants.

_____ Ordre différent, horaire, modèle, présentation.

_____ Autre personne.

5. Renverser ?

_____ Transposer le négatif et le positif.

_____ Essayer le contraire, tourner de dos ou à l'envers.

_____ Renverser les rôles.

6. Combiner ?

_____ Utilisations, buts, idées, approches.

7. Utiliser différemment ?

_____ Nouvelles façons d'utiliser.

_____ Nouvelles utilisations si modifié.

_____ Qu'est-ce qui ressemble à cela ?

William James disait : « Le génie n'est pas grand-chose de plus que la faculté de percevoir de façon inhabituelle. » Que vous choisissiez d'utiliser la liste d'Osborne, le remue-méninges ou n'importe quoi d'autre, il est généralement utile d'essayer de voir les choses d'une perspective différente.

Faites la distinction entre urgence et importance

Lorsque Dwight Eisenhower fut nommé président, il essaya de former son administration de façon à ce que seules les questions urgentes et importantes soient portées à son attention. Tout le reste devait être délégué à des échelons inférieurs. Cependant, il s'aperçut que l'urgence et l'importance allaient rarement de pair. Ce concept s'applique aussi à notre vie. Les choses importantes sont rarement urgentes, et les choses urgentes rarement importantes. L'urgence de la réparation d'une crevaison lorsque vous êtes en retard à un rendez-vous est bien plus grande que celle de vous rappeler de payer votre prime d'assurance-automobile, mais son importance est, dans la plupart des cas, relativement modeste.

Malheureusement, plusieurs d'entre nous passent leur vie à éteindre des feux, soumis à la tyrannie de l'urgence. Le résultat est que nous négligeons les choses moins urgentes mais plus importantes de la vie. Il s'agit d'une erreur qui nuit beaucoup à l'efficacité.

Lorsque vous êtes confronté à plusieurs problèmes que vous devez résoudre, demandez-vous quels sont les plus importants et faites-y face en priorité. Si vous vous soumettez à ce qui est urgent, votre vie sera faite d'une succession de situations de crise. Vous serez très actif, peut-être même la personne la plus affairée qui soit. Cependant, vous risquez de vous apercevoir un jour que vous avez érigé votre barrage sur un cours d'eau asséché.

Efforcez-vous de prévenir les crises potentielles

Les médecins nous disent qu'il vaut mieux prévenir que guérir. Vous n'avez pas à guérir une maladie que vous n'avez pas. Ainsi, vous prenez des mesures préventives destinées à vous maintenir en santé, vous vous accordez suffisamment de repos, vous vous alimentez bien, vous faites de l'exercice, vous vous faites vacciner, etc.

C'est de la même façon générale que l'on résout les problèmes. Si vous prévoyez des situations de crise et que vous prenez des mesures pour les prévenir ou y faire face, il s'agit d'un sage investissement de votre temps. Les problèmes dégénèrent rarement en crise sans quelque avertissement. Un minimum de prévision et d'entretien préventif peut vous assurer que vous consacrerez votre temps à la réalisation de vos objectifs plutôt qu'à réagir aux situations de crise.

Mettez votre subconscient à l'œuvre

Pour résoudre les problèmes, certaines de vos plus grandes capacités résident quelque part sous le niveau de votre conscience. Souvent nous avons du mal à trouver la solution à un problème simplement parce que nous nous efforçons trop de trouver une réponse. L'anxiété et la tension que nous provoquons en recherchant impatiemment une solution inhibent nos capacités créatrices, tout en nous faisant perdre inutilement notre temps.

Il y a quelques années, lorsque je suis entré au doctorat, je me demandais avec anxiété quel serait le sujet de ma thèse de doctorat. Même s'il me restait au moins deux ans pour prendre cette décision, la pensée de la thèse m'obsédait parce que je n'avais jamais vécu cette expérience. L'idée de travaux et d'examens additionnels ne m'inquiétait pas. J'avais déjà connu tout cela et j'avais confiance en mes capacités.

Plus je me creusais la tête pour trouver un sujet, plus j'étais anxieux et moins je trouvais. J'en parlai un jour à l'un de mes professeurs et il me suggéra tout simplement d'oublier et de me concentrer sur le travail en cours. « Confie le problème à ton subconscient, dit-il, et laisse-le s'en occuper à ta place. Lorsque viendra le temps de rédiger cette thèse, ton subconscient aura trouvé un sujet. Les décisions les plus importantes sont généralement prises au niveau du subconscient. »

Je suivis son conseil et cela marcha à merveille. Six mois avant que j'entreprenne ma thèse, une idée me vint. La valeur de la prise de décisions du subconscient est l'une des plus importantes leçons que j'ai apprises à l'université.

*Lorsque vous comprendrez vraiment
cette leçon, vous serez aussi près que
vous pouvez l'être d'une unique et
universelle loi du succès.*

Napoleon Hill

Vingt-cinquième leçon
Comment vous servir de la loi des bénéfices accrus

Napoleon Hill était un homme incroyable. En dépit de difficultés et de pressions énormes, il a passé plus de vingt-cinq ans de sa vie à scruter la carrière des hommes exceptionnels. Son but ? Isoler et définir les raisons qui font que tant d'individus échouent et si peu réussissent.

Des centaines de milliers de livres traitant du succès ont été publiés au cours des cinquante dernières années, et la très vaste majorité d'entre eux tirent leurs racines des découvertes du docteur Hill. Il ne fait aucun doute que son fameux best-seller intitulé *Réfléchissez et devenez riche* a influencé plus d'individus dans ce siècle que tout autre livre, à l'exception de la Bible.

Réfléchissez et devenez riche n'était cependant qu'une version condensée d'un autre livre publié précédemment par Hill en seize langues et intitulé *Les lois du succès*. Il s'agissait d'un ouvrage si monumental qu'il contenait des témoignages inestimables de Thomas Edison, Cyrus Curtis, William Howard Teft, Woodrow Wilson, William Wrigley, John Wanamaker, George Eastman et F.W. Woolworth !

Notre leçon a été tirée du livre original et son sujet, selon le docteur Hill, peut pratiquement assurer le succès à tous ceux qui le mettront en pratique dans toutes leurs activités. Il écrit : « Peut-être n'aimez-vous pas le travail que vous faites actuellement. Il y a deux façons de vous en défaire. L'une d'elles est de peu vous intéresser à ce que vous faites, visant à en faire juste assez pour continuer. Très bientôt vous découvrirez une façon de vous en sortir, parce qu'on n'aura pas besoin de vos services. »

Mais il existe une meilleure façon de vous débarrasser de « ce travail que vous n'aimez pas », et le plus grand auteur de tous est sur le point de vous l'expliquer...

Quand un homme fait un travail qu'il aime, ce n'est pas une corvée pour lui de faire plus et mieux que ce pour quoi il est payé et c'est bien pour cette raison que tout homme se doit à lui-même de faire de son mieux pour trouver le genre de travail qu'il préfère.

J'ai parfaitement le droit de proposer ce conseil aux étudiants de cette philosophie pour la bonne raison que je l'ai moi-même suivi sans aucun regret de l'avoir fait.

Il semble que ce soit un bon moment pour introduire un peu d'histoire personnelle concernant l'auteur et la philosophie de *Les lois du succès,* dont le but sera de démontrer qu'un travail effectué dans un esprit d'amour uniquement pour le travail lui-même n'a jamais été et ne sera jamais perdu.

La présente leçon est consacrée à donner la preuve qu'il est réellement rentable de rendre un service supérieur en quantité et en qualité à celui pour lequel on est payé. Quel effort vain et inutile ce serait si l'auteur n'avait personnellement pratiqué cette règle assez long-temps pour être capable d'expliquer comment elle fonctionne.

Pendant plus d'un quart de siècle, j'ai fait ce travail d'amour à partir duquel cette philosophie a été développée et je suis parfaitement sincère en répétant ce que j'ai déjà établi ailleurs dans ce cours, à savoir que j'ai été amplement rétribué pour mes travaux par le plaisir que j'ai eu à les exécuter, même si je n'ai rien reçu de plus.

Mes travaux sur cette philosophie ont nécessité pour moi, voici bien des années, que je fasse un choix entre une compensation monétaire immédiate, que j'aurais pu recevoir en dirigeant mes efforts vers un but purement commercial, et une rémunération qui n'arrive que bien des années plus tard et qui est représentée tant par les critères financiers habituels que par d'autres formes de règlement qui ne peuvent être calculés seulement qu'en termes de connaissance accumulée permettant de jouir plus intensément du monde.

L'homme qui fait le travail qu'il préfère n'a pas toujours, dans son choix, l'appui de ses parents et amis les plus intimes.

Combattre les suggestions négatives d'amis et de parents a demandé une proportion alarmante de mes énergies pendant les années où j'ai été occupé à un travail de recherche qui avait pour but de recueillir, organiser, classifier et tester le matériel faisant partie de ce cours.

Ces références personnelles sont faites seulement dans le but de démontrer aux étudiants de cette philosophie que rarement, sinon jamais, peut-on espérer faire le travail qu'on préfère sans rencontrer des obstacles d'une certaine nature. Généralement, l'obstacle majeur dans ce genre d'engagement dans le travail qu'on préfère est qu'il peut ne pas être le travail qui apporte la plus importante rémunération au départ. Cependant, pour compenser ce désavantage, celui qui fait le travail qu'il préfère est généralement récompensé par deux avantages décisifs, à savoir, premièrement, qu'il trouve généralement dans un tel travail la plus grande de toutes les récompenses, le *bonheur*, qui n'a pas de prix ; et, deuxièmement, que sa véritable récompense en argent, quant à la moyenne sur toute une vie d'efforts, est généralement plus élevée, parce que le travail qui est accompli dans un esprit d'amour est généralement plus grand en quantité et meilleur en qualité que celui qui n'est fait que pour l'argent.

Veuillez garder à l'esprit que durant toutes ces années de recherche, j'appliquais non seulement la loi couverte par cette leçon, *en faisant plus que ce pour quoi j'étais payé,* mais j'allais bien plus loin que cela en faisant un travail pour lequel je n'espérais même pas, au moment où je le faisais, recevoir de rétribution.

Ainsi, au cours de ces années de chaos, d'adversité et d'opposition, cette philosophie fut enfin complétée et compilée en des manuscrits prêts pour la publication.

Il y a plus de vingt bonnes raisons pour lesquelles vous devriez développer l'habitude d'accomplir plus de services et de rendre un *meilleur service* que celui pour lequel vous êtes payé, en dépit du fait qu'une grande majorité de gens ne le fait pas.

Il y a cependant deux raisons, qui dépassent en importance toutes les autres, pour rendre un tel service.

Premièrement : en vous faisant une réputation de personne qui rend toujours plus de services, et un meilleur service que celui pour lequel vous êtes payé, vous serez avantagé par rapport à ceux qui ne le font pas autour de vous et le contraste sera si perceptible qu'*il y aura une vive compétition pour obtenir vos services, peu importe ce que peut être votre spécialité.*

Ce serait une insulte à votre intelligence que de proposer une preuve concluante de la validité de cet exposé, car il est évidemment bien fondé. Que vous fassiez des sermons, que vous pratiquiez le droit, écriviez des livres, enseigniez, ou creusiez des trous, vous acquerrez plus de valeur et vous pourrez exiger un salaire plus élevé à la minute où l'on vous reconnaîtra comme une personne qui fait plus que ce pour quoi elle est payée !

Deuxièmement : la raison la plus importante pour laquelle vous devriez alors rendre plus de services que ceux pour lesquels vous êtes payé, est une raison si élémentaire et fondamentale par sa nature qu'on peut la décrire de cette façon : supposez que vous désiriez développer un bras droit fort, et que vous essayiez d'y arriver en liant ce bras à votre côté à l'aide d'une corde, le mettant ainsi hors d'usage et lui donnant un long repos. Cette inactivité lui donnerait-elle de la force, ou bien lui apporterait-elle atrophie et faiblesse, pouvant enfin résulter en votre obligation de vous faire amputer ce bras ?

Vous savez que si vous voulez un bras droit fort, vous pouvez développer un tel bras seulement en vous en servant de la façon la plus rigoureuse. Examinez le bras d'un forgeron si vous voulez savoir comment un bras peut devenir fort. De la résistance vient la force. Le chêne le plus fort de la forêt n'est pas celui qui est protégé de la tempête et caché du soleil, mais celui qui se tient debout en plein vent, où il est forcé de lutter pour son existence contre les éléments et le soleil brûlant.

C'est à travers l'une des lois les plus immuables de la nature que la lutte et la résistance développent la force, et le but de cette leçon est de vous montrer comment maîtriser cette loi et ainsi l'utiliser pour qu'elle vous aide dans votre combat pour le succès. En accomplissant un service supérieur et meilleur que celui pour lequel vous êtes payé, non seulement vous exercez vos qualités de serviabilité et développez ainsi votre habileté et vos capacités de façon extraordinaire, mais vous vous bâtirez une réputation de grande valeur. Si vous développez l'habitude de rendre un tel service, vous deviendrez tellement expert dans votre travail que vous pourrez *exiger* une plus grande rémunération que ceux qui ne la développent pas. Vous finirez éventuellement par développer une force suffisante pour vous permettre d'abandonner toute position indésirable de la vie, et nul ne pourra ni ne voudra vous arrêter.

Si vous êtes un employé, vous pouvez vous rendre si utile par cette habitude de fournir plus de travail que celui pour lequel vous êtes payé, que vous pourrez pratiquement fixer votre propre salaire, et nul employeur sensé n'essaiera de vous arrêter. Si votre employeur était assez mal avisé pour essayer de vous refuser la compensation à laquelle vous avez droit, ce ne sera pas longtemps un handicap pour vous parce que d'autres employeurs découvriront cette qualité inhabituelle et vous offriront du travail.

Le fait même que la plupart des gens rendent aussi peu de services qu'il leur est possible de le faire avantage tous ceux qui en rendent plus que ce pour quoi ils sont payés, car cela leur permet d'en tirer avantage. Vous pouvez vivoter en rendant aussi peu de services que possible, mais c'est tout ce que vous obtiendrez ; et quand le travail se fera rare et que les réductions de personnel viendront, vous serez parmi les premiers à être renvoyés.

Pendant plus de vingt-cinq ans, j'ai soigneusement étudié des hommes dans le but de vérifier pourquoi certains obtiennent un succès notable alors que d'autres ayant autant de capacités n'arrivent pas à progresser, et il semble significatif que toute personne que j'ai observée appliquant ce principe de rendre plus de services que ce pour quoi elle était payée, conservait une meilleure position et recevait plus d'argent que ceux qui accomplissaient simplement assez de travail pour « s'en sortir ».

Personnellement, jamais de ma vie je n'ai reçu une promotion que je ne puisse relier directement à la connaissance que j'avais gagnée en rendant un service supérieur en quantité et en qualité à celui pour lequel j'étais payé.

J'insiste sur l'importance de faire de ce principe une habitude, comme moyen pour permettre à un employé de se hisser à une position plus élevée, avec un salaire plus important, parce que le présent principe sera étudié par des milliers de jeunes qui travaillent pour d'autres. Cependant, ce principe s'applique à l'employeur ou au professionnel tout autant qu'à l'employé.

L'observation de ce principe apporte une récompense double. D'abord, elle amène un plus grand gain matériel que celui dont jouissent ceux qui ne l'observent pas ; deuxièmement, elle amène le bonheur et la satisfaction qui n'appartiennent qu'à ceux qui rendent un tel service. Si vous ne recevez pas d'autre paie que celle qui est dans votre enveloppe, vous êtes mal payé, peu importe le montant que contient cette enveloppe.

Nous analysons maintenant la loi sur laquelle est fondée toute cette leçon, à savoir : *la loi des bénéfices accrus !*

Laissez-nous commencer notre analyse en montrant comment la nature emploie cette loi en faveur des cultivateurs. Le fermier prépare soigneusement le sol, puis sème son grain et attend que la loi des bénéfices accrus lui retourne la graine qu'il a semée, *plusieurs fois multipliée.*

S'il n'y avait pas cette loi des bénéfices accrus, l'homme périrait, parce qu'il ne pourrait faire produire à la terre une nourriture suffisante pour vivre. Il n'aurait aucun intérêt à semer un champ de blé si la moisson ne rapportait pas plus que ce qui a été semé.

Avec ce « tuyau » essentiel que nous fournit la nature avec ses champs de blé, permettez-nous de poursuivre cette loi des bénéfices accrus et apprenons comment l'appliquer au service que nous rendons, afin qu'*elle puisse nous rapporter des bénéfices excédant largement l'effort fourni.*

Tout d'abord, mettons l'accent sur le fait qu'il n'y a ni astuce ni chicane reliée à cette loi, quoiqu'un certain nombre ne semble pas avoir appris cette grande vérité, si on en juge par le nombre de ceux qui gaspillent tous leurs efforts, soit à essayer d'obtenir quelque chose pour rien, ou quelque chose pour moins que sa valeur réelle.

Ce n'est pas dans un tel but que nous recommandons l'usage de la loi des bénéfices accrus, car un tel but n'est pas possible, dans le sens large du mot *succès.*

Un autre trait caractéristique remarquable et digne de mention de la loi des bénéfices accrus est le fait qu'elle peut être employée par ceux qui achètent des services avec autant de bénéfices qu'elle peut rapporter à ceux qui en rendent ; comme preuve, nous n'avons qu'à étudier les effets de la fameuse échelle de salaire minimum de cinq dollars par jour d'Henry Ford, qu'il mit en pratique voici quelques années.

Ceux qui sont familiers avec ces faits disent que monsieur Ford ne jouait pas le rôle d'un philanthrope quand il lança son échelle de salaire minimum ; bien au contraire, il prenait simplement avantage d'un principe d'affaires bien fondé qui lui a probablement rapporté de plus grands bénéfices, en argent et en bonne volonté, que toute autre politique jamais mise de l'avant aux usines Ford.

En payant des salaires plus élevés que la normale, il reçut plus de services et un meilleur service que la moyenne !

D'un seul coup, par l'inauguration de cette politique de salaire minimum, Ford attira les meilleurs travailleurs sur le marché et ajouta une récompense à la prérogative de travailler dans son usine.

Je n'ai pas de chiffres officiels sous la main sur ce sujet, mais j'ai de solides raisons de supposer que pour chaque cinq dollars que Ford dépensa en fonction de cette politique, il reçut la valeur d'au moins sept dollars cinquante de services. J'ai aussi de bonnes raisons de croire que cette politique permit à Ford de réduire le coût de la surveillance, car un emploi dans ses usines devint si désirable que nul ne courait le risque de perdre son emploi en « tirant au flanc » sur le travail ou en rendant un piètre service.

Là où d'autres employeurs étaient dans l'obligation de se fier à une coûteuse surveillance pour obtenir le travail auquel ils avaient droit et pour lequel ils payaient, Ford obtint le même résultat, voire un meilleur, par la méthode moins onéreuse consistant à valoriser l'emploi dans ses usines.

Marshall Field fut sans doute le principal négociant de son temps et le grand magasin Field de Chicago s'élève aujourd'hui comme un monument à son talent d'application de la loi des bénéfices accrus.

Une cliente acheta une coûteuse blouse de dentelle au magasin Field, mais ne la porta pas. Deux ans plus tard, elle la donna en cadeau de noces à sa nièce. La nièce retourna tranquillement la blouse au magasin Field et l'échangea pour d'autres articles, en dépit du fait que ce corsage avait été vendu plus de deux ans auparavant et qu'il était alors démodé.

Non seulement le magasin Field reprit-il la blouse mais, ce qui est plus important encore, il la reprit *sans discuter !*

Bien sûr, il n'y avait aucune obligation morale ou légale de la part du magasin à accepter le retour de la blouse à une date aussi tardive, ce qui rend la transaction encore plus révélatrice.

Le prix original de la blouse était de cinquante dollars et naturellement elle fut reléguée au comptoir des aubaines et vendue à un prix dérisoire, mais celui qui étudie la nature humaine avec un esprit vif comprendra que non seulement le magasin Field n'a rien perdu sur la blouse, mais qu'il a en fait bénéficié de la transaction à un point qui ne peut être évalué rien qu'en dollars.

La femme qui rendit la blouse savait qu'elle n'avait aucun droit d'être remboursée ; cependant, quand le magasin lui donna ce à quoi elle n'avait pas droit, la transaction gagna au magasin une cliente fidèle. Mais les effets de la transaction ne se limitèrent pas à cela ; ce ne fut que le commencement ; car cette femme répandit partout la nouvelle du « traitement courtois » dont elle avait fait l'objet au magasin Field. Ce fut le sujet de conversation des femmes de son cercle pendant plusieurs jours et le magasin Field reçut plus de publicité de cette simple transaction qu'il n'aurait pu en acheter de toute autre façon avec dix fois la valeur de la blouse.

La réussite du magasin Field était largement fondée sur la compréhension que Marshall Field avait de la loi des bénéfices accrus, qui l'incita à adopter, dans le cadre de sa politique commerciale, le slogan : « Le client a toujours raison. »

Quand vous faites seulement ce pour quoi vous êtes payé, il n'y a rien hors de l'ordinaire pour *attirer un commentaire favorable* sur le fait ; mais, quand vous faites volontairement plus que ce pour quoi vous êtes payé, votre action attire une attention favorable de tous ceux qui sont impliqués dans la transaction et c'est un autre pas vers une réputation reconnue qui finira par faire travailler en votre faveur la loi des bénéfices accrus, car elle créera de tous côtés une demande pour vos services.

Carol Downes obtint un poste mineur dans la compagnie de W.C. Durant, le fabricant d'automobiles. Il est aujourd'hui le bras droit de monsieur Durant et le président d'une de ses compagnies de distribution d'automobiles. Il a gagné sa promotion uniquement à l'aide de la loi des bénéfices accrus, qu'il fit agir en rendant un meilleur service, supérieur en quantité et en qualité à celui pour lequel il était payé.

Lors d'une récente visite à monsieur Downes, je lui ai demandé de me dire comment il s'était arrangé pour gagner cet avancement aussi rapidement. En quelques phrases brèves, il me raconta toute l'histoire.

« Quand j'ai commencé à travailler pour monsieur Durant, dit-il, j'ai remarqué qu'il restait toujours au bureau longtemps après que tous les autres fussent rentrés chez eux et je me fis un devoir de rester là, moi aussi. Personne ne m'avait demandé de rester, mais je pensais que quelqu'un devait être là pour donner à monsieur Durant toute aide dont il pourrait avoir besoin. Souvent il regardait autour de lui pour trouver quelqu'un qui lui apporterait un dossier ou lui rendrait un service insignifiant, et *il me trouvait toujours là, prêt à le servir*. Il prit l'habitude de m'appeler ; c'est là toute l'histoire. »

« *Il prit l'habitude de m'appeler !* »

Relisez cette phrase ; elle est pleine de signification, et de la meilleure qui soit.

Pourquoi monsieur Durant prit-il l'habitude d'appeler monsieur Downes ? Parce que *monsieur Downes s'arrangea pour être disponible là où il serait vu*. Il se plaça délibérément dar   chemin de monsieur Durant de façon à pouvoir r   des services qui lui apporteraient un appui par la loi des bénéfices accrus.

Lui avait-on dit de le faire ? *Non !*

Fut-il payé pour cela ? *Oui !* Il fut payé par l'occasion qui lui fut offerte de se porter à l'attention de l'homme qui avait le pouvoir de lui offrir un avancement.

Nous approchons maintenant de la partie la plus importante de cette leçon, parce que c'est un endroit approprié pour vous suggérer que *vous* avez la même occasion que monsieur Downes d'employer la loi des bénéfices accrus et vous pouvez appliquer la loi exactement de la même façon qu'il l'a fait, *en étant disponible et prêt à proposer vos services dans l'accomplissement d'un travail que d'autres pourront éluder parce qu'ils ne sont pas payés pour le faire.*

Stop ! Ne le dites pas, ne le pensez même pas, si vous avez la moindre intention de lâcher le fameux poncif : « *Mais mon employeur est différent.* »

Évidemment, il est différent. Tous les hommes le sont sous certains aspects, mais ils sont tous très semblables en ceci : Ils sont quelque peu *égoïstes* ; en fait ils le sont suffisamment pour ne pas vouloir qu'un homme tel que Carol Downes aille se trouver une place chez un concurrent et c'est cet égoïsme qui peut devenir pour vous un avantage plutôt qu'un handicap... *si vous avez la bonne idée de vous rendre si utile à cette personne à qui vous vendez vos services qu'elle ne puisse continuer sans vous.*

Une des promotions les plus avantageuses que j'aie jamais reçues m'est arrivée grâce à un incident qui semblait si insignifiant qu'il me parut sans importance. Un samedi après-midi, un avocat dont le bureau était au même étage que celui de mon employeur entra et me demanda si je savais où il pourrait trouver une sténo pour faire un travail qu'il était obligé de terminer ce jour-là.

Je lui dis que toutes nos sténos étaient allées au match de baseball et que j'aurais moi-même été absent s'il s'était présenté cinq minutes plus tard, mais que je serais heureux de rester pour faire son travail puisque, de toute façon, je pourrais aller au baseball un autre jour et que son travail devait être fait séance tenante.

Je fis le travail pour lui et quand il me demanda combien il me devait, je répondis : « Oh, à peu près mille dollars, parce que c'est vous ; si c'était pour qui que ce soit d'autre, je ne demanderais rien. » Il sourit et me remercia.

Je ne pensais guère, quand je fis cette remarque, qu'il me paierait mille dollars pour un après-midi de travail, *mais il le fit !* Six mois plus tard, alors que j'avais complètement oublié l'incident, il me rappela et me demanda quel salaire je recevais. Je le lui dis ; il m'informa alors qu'il était prêt à me payer ces mille dollars que j'avais en riant dit vouloir lui demander pour le travail que j'avais accompli pour lui et *il me paya* en me donnant un emploi comportant une augmentation de salaire de mille dollars par an.

Inconsciemment, j'avais mis à l'œuvre la loi des bénéfices accrus en ma faveur, cet après-midi-là, en renonçant à la partie de baseball et en rendant un service qui fut évidemment rendu dans le désir d'être utile et non dans l'espoir d'une rétribution.

Ce n'était pas mon «devoir» de renoncer à mon samedi après-midi.

C'était ma prérogative!

En outre, ce fut un privilège lucratif, puisqu'il me rapporta mille dollars en argent et un poste avec plus de responsabilités que celui que j'avais occupé jusque-là.

C'était le *devoir* de Carol Downes de rester disponible jusqu'à la fin de la journée de travail, mais c'était sa *prérogative* de rester après que les autres travailleurs soient partis et, utilisée adéquatement, celle-ci donna de plus grandes responsabilités et un salaire qui lui rapporte plus en un an que ce qu'il aurait gagné dans toute sa vie dans l'emploi qu'il occupait avant d'exercer ce privilège.

J'ai pensé pendant plus de vingt-cinq ans à ce privilège de rendre un service supérieur en quantité et en qualité à celui pour lequel nous sommes payés, et mes pensées m'ont amené à la conclusion qu'une seule heure passée chaque jour à rendre un service pour lequel nous ne sommes pas payés peut faire rapporter de plus grands bénéfices que ceux que nous avons reçus pendant tout le reste de la journée durant laquelle nous faisons simplement notre *tâche*.

(Nous sommes toujours autour de *la partie la plus importante* de cette leçon; donc, réfléchissez et assimilez bien en parcourant ces pages.)

La loi des bénéfices accrus n'est pas de mon invention; je ne prétends pas non plus avoir découvert le principe de rendre un service meilleur en quantité et en qualité à celui pour lequel on est payé, comme une façon d'utiliser cette loi. Je m'en suis simplement emparé, après bien des années d'observation soigneuse de ces forces qui s'inscrivent dans la réalisation du succès, tout comme *vous vous les approprierez* après avoir compris leur signification.

Vous pourriez commencer ce processus maintenant en risquant une expérience qui pourrait facilement vous ouvrir les yeux et placer derrière vos efforts des pouvoirs que vous ne saviez pas posséder.

Laissez-moi cependant vous avertir de ne pas tenter cette expérience dans le même esprit avec lequel une certaine femme a expérimenté ce passage biblique qui dit quelque chose à l'effet que *si vous avez la foi gros comme un grain de moutarde et dites à une montagne de s'en aller ailleurs, elle s'en ira.* Cette femme vivait près d'une haute montagne qu'elle pouvait voir de sa porte avant; donc, en allant se coucher, ce soir-là, elle ordonna à la montagne d'aller se placer ailleurs.

Le lendemain matin, elle sauta hors du lit, se précipita à la porte et regarda, et... la montagne était toujours là. Elle dit alors :

« *Je le savais bien ! Je savais qu'elle serait encore là !* »

Je vais vous demander d'aborder cette expérience en *croyant pleinement qu'elle marquera un des plus importants tournants de toute votre vie. Je vais vous demander de faire du but de cette expérience le déplacement d'une montagne qui se trouve là où devrait s'élever votre temple de la réussite*, mais où il ne peut se trouver sans que vous ayez enlevé cette montagne.

Peut-être n'avez-vous jamais remarqué la montagne dont je vous parle, mais elle est là, sur votre chemin, malgré tout, à moins que vous ne l'ayez déjà découverte et déplacée.

« Et quelle est cette montagne ? » demandez-vous.

C'est le sentiment que vous avez qu'on vous trompe si vous ne retirez pas la paie que vous espérez pour tout le travail que vous faites.

Ce sentiment peut s'exprimer inconsciemment et détruire la base même de votre *temple du succès* de cent façons que vous n'avez pas remarquées.

Dans l'espèce du type le plus minable de l'humanité, ce sentiment recherche généralement une expression extérieure dans des termes du genre :

« Je ne suis pas payé pour faire ça et je veux bien être pendu si je le fais ! »

Vous connaissez le genre d'individu dont je parle ; vous en avez rencontré bien des fois, mais vous n'avez jamais trouvé une telle personne qui ait réussi et vous *n'en rencontrerez jamais.*

La réussite doit être *attirée* par la compréhension et l'application de lois aussi immuables que celle de la gravitation. On ne peut la pousser dans un coin et la capturer comme on le ferait d'un bouvillon sauvage. Pour cette raison, il est nécessaire que vous fassiez l'expérience suivante dans le but de vous familiariser avec une des plus importantes de ces lois, à savoir la loi des bénéfices accrus.

Voici l'expérience :

Durant les six prochains mois, forcez-vous à rendre un service utile à au moins une personne par jour, pour lequel *vous n'attendrez ni n'accepterez aucune rétribution.*

Faites cette expérience en croyant qu'elle vous dévoilera une des lois les plus puissantes qui entrent dans la réalisation d'un succès durable et *vous ne serez pas déçu.*

Rendre ce service peut se faire de plus ou moins une vingtaine de manières. Par exemple, il peut être rendu personnellement à une ou plusieurs personnes différentes ou il peut être rendu à votre employeur, sous la forme d'un travail accompli après les heures.

Il peut encore être rendu à de parfaits étrangers que vous ne comptez jamais revoir. Peu importe à qui vous rendez ce service, en autant que vous le faites volontairement et uniquement dans le but d'avantager les autres.

Si vous réalisez cette expérience avec l'attitude adéquate d'esprit, vous découvrirez ce que tous ceux qui se sont familiarisés avec la loi sur laquelle elle est basée ont découvert, c'est-à-dire que *vous ne pouvez pas plus rendre un service sans recevoir une compensation que vous ne pouvez vous retenir de le rendre sans subir la perte de la récompense.*

« Cause et effet, moyens et fins, graine et fruit, ne peuvent être dissociés, a dit Emerson ; car l'effet s'épanouit déjà dans la cause, la fin existe déjà dans les moyens, le fruit dans la graine. »

« Si vous servez un maître ingrat, servez-le encore plus. Faites de Dieu votre débiteur. Chaque coup sera rendu. Le plus longtemps le paiement est retenu, mieux c'est pour vous, car l'intérêt composé sur l'intérêt composé est le taux et l'usage de ces fonds. »

« La loi de la nature : fais le nécessaire et tu auras la puissance ; mais ceux qui ne le font pas n'ont pas la puissance. »

« Les hommes endurent toute leur vie la stupide croyance qu'ils peuvent être trompés. Mais il est aussi impossible à un homme d'être trompé par qui que ce soit d'autre que lui-même, que pour une chose d'être et de ne pas être en même temps. Il y a une troisième partie sous-entendue dans toutes nos affaires. La nature ou l'âme des choses prend sur elle de garantir l'accomplissement de tout contrat, de sorte qu'*un honnête service ne peut se perdre.* »

Avant de commencer l'expérience que je vous ai demandé d'entreprendre, lisez l'essai d'Emerson sur la compensation, car il vous aidera beaucoup à comprendre *pourquoi* vous la faites.

Peut-être avez-vous déjà lu l'essai sur la compensation. Relisez-le ! Un des faits étranges que vous observerez à propos de cet essai est que chaque fois que vous le lisez, vous découvrez de nouvelles vérités que vous n'aviez pas remarquées durant vos lectures précédentes.

Nous traversons deux périodes importantes dans cette vie : Pendant la première, nous recueillons, classifions et organisons les connaissances ; l'autre est celle pendant laquelle nous luttons pour être reconnus. Nous devons d'abord apprendre quelque chose qui requiert plus d'efforts que la plupart d'entre nous n'est disposée à en mettre dans ce travail ; mais après avoir appris beaucoup de choses qui peuvent rendre des services utiles aux autres, nous devons encore faire face au problème de les convaincre que nous pouvons leur rendre service.

Une des raisons les plus importantes pour laquelle nous devrions toujours être non seulement enclins mais encore *disposés* à rendre service, c'est le fait que chaque fois que nous agissons ainsi, nous trouvons de cette façon une autre occasion de prouver à quelqu'un que nous avons des capacités ; nous faisons seulement un pas de plus vers l'atteinte de la reconnaissance nécessaire que nous devons tous avoir.

Au lieu de dire au monde : « Montrez-moi la couleur de votre argent et je vous montrerai ce que je peux faire », renversez la règle et dites : « Laissez-moi vous montrer la couleur de mes services afin que je puisse voir celle de votre argent si vous aimez mes services. »

La vie n'est au mieux qu'un court espace de temps. Comme une chandelle, nous nous allumons, nous brillons un moment, puis *nous mourons !* Si nous sommes mis ici dans le but d'amasser des trésors à utiliser dans une vie qui se dissimule derrière le voile sombre de la mort, n'est-il pas possible que nous puissions mieux accumuler ces trésors en rendant tous les services que nous pouvons, à toutes les personnes que nous pouvons, dans un esprit affectueux de gentillesse et de sympathie ?

J'espère que vous êtes d'accord avec cette philosophie !

Cette leçon doit se terminer, mais elle n'est nullement *achevée*. Là ou j'établis un enchaînement de pensées, c'est maintenant votre tâche de le prendre et le développer, à votre façon et à votre propre bénéfice.

De par la véritable nature du sujet de cette leçon, elle ne peut jamais être terminée, car elle mène au cœur de toute activité humaine. Son but est de vous donner les bases sur lesquelles elle est fondée et les utiliser comme un stimulant qui fera s'épanouir votre esprit, libérant dès lors les forces secrètes qui sont vôtres.

Cette leçon n'a pas été écrite dans le but de vous instruire mais avec l'intention de vous amener à vous instruire d'une des grandes vérités de la vie. Elle a été prévue comme une source d'éducation, dans le vrai sens du terme, traçant et développpant en vous les forces de l'esprit qui sont disponibles pour votre usage.

Quand vous donnez le meilleur service dont vous êtes capable, vous efforçant chaque fois de surpasser vos efforts précédents, vous faites usage de la forme la plus élevée d'éducation. Donc, quand vous rendez un service supérieur en quantité et en qualité à celui pour lequel vous êtes payé, vous, plus que tout autre, profitez de cet effort.

C'est seulement en rendant un tel service que vous pouvez atteindre à la maîtrise dans le domaine que vous avez choisi. Pour cette raison, le fait de vous efforcer de dépasser tous vos services précédents dans tout ce que vous faites devrait faire partie de votre *but principal déterminé.* Que cela devienne une partie de vos habitudes quotidiennes que vous suivrez avec la même régularité que celle avec laquelle vous prenez vos repas.

Faites-vous un devoir de rendre plus de services et un meilleur service que celui pour lequel vous êtes payé et avant que vous ne réalisiez ce qui est arrivé, vous découvrirez que *les gens sont désireux de vous payer pour plus que ce que vous faites.*

L'intérêt composé sur l'intérêt composé est le taux auquel vous serez payé pour un tel service. Comment exactement cet accroissement de bénéfices s'effectuera, c'est entièrement à vous de le décider.

Maintenant, qu'allez-vous faire de ce que vous avez appris dans cette leçon? Et quand? Et comment? Et pourquoi? Cette leçon sera sans valeur pour vous, à moins qu'elle ne vous pousse à adopter et utiliser la connaissance qu'elle vous a apportée.

La connaissance ne devient *puissance* que par l'organisation et l'*usage*! N'oubliez pas cela.

Vous ne pourrez jamais devenir un leader sans faire plus que ce pour quoi vous êtes payé, et vous ne pourrez réussir sans développer des qualités de chef dans le travail que vous vous êtes choisi.

SIXIÈME SEMESTRE

La richesse n'est pas nécessairement un malheur, ni la pauvreté une bénédiction.

R.D. Hitchcock

*L'acquisition d'argent a toujours été
d'une grande simplicité pour ceux qui
possèdent un minimum de discipline et
suivent quelques règles.*

P.T. Barnum

Vingt-sixième leçon
Comment gagner de l'argent

Phineas Taylor Barnum fut sans l'ombre d'un doute le plus grand homme de spectacle que l'Amérique ait jamais connu. S'il n'avait pas existé, Horatio Alger l'aurait probablement inventé pour en faire le héros de l'une de ses histoires où les pauvres deviennent riches.

À partir de débuts vraiment modestes de commis d'épicerie et avec une éducation primaire seulement, P.T. Barnum construisit ce qui allait devenir le plus important spectacle de cirque au monde ; il le baptisa d'ailleurs du nom de « Plus grand spectacle sur terre ».

Barnum avait des idées très précises concernant le succès et la façon de l'obtenir, et il a livré ses conseils pratiques, qui sont tout aussi valables de nos jours, dans son autobiographie, *The Life of P.T. Barnum, Written by Himself.* Lorsqu'il était invité à des dîners-causeries, il faisait invariablement allusion aux « règles de succès » de son livre et, sa conférence devenant de plus en plus populaire, il se mit à l'intituler « L'art de gagner de l'argent ». P.T. était assez intelligent pour comprendre, en se basant sur ses propres expériences de promoteur et de politicien, qu'il y avait un sujet dont le public ne se fatiguait jamais : l'argent.

Cette leçon est tirée de son allocution sur l'argent. Bien qu'elle était à l'origine destinée à la jeunesse américaine, dans le but de lui apprendre à devenir riche avec intégrité et caractère, vous découvrirez à coup sûr, quel que soit votre âge, que cela vous aidera à voir clairement où vous allez et comment vous voulez vous y rendre.

À la fin de ce semestre vous comprendrez les principes fondamentaux permettant d'accumuler de l'argent, même si vous réalisez déjà que l'argent seul ne constitue pas une garantie de bonheur. Vous en aurez aussi appris beaucoup plus, particulièrement quant au fait que les principes du succès ne varient jamais, ainsi que s'apprête à vous le rappeler notre professeur le plus original...

Aux États-Unis, où il y a plus de terres que d'habitants, les gens en bonne santé n'ont aucune difficulté à gagner de l'argent. Dans ce champ relativement nouveau où s'ouvrent tant d'avenues de succès, où tant de professions ne sont pas saturées, toute personne, homme ou femme, qui est disposée, pour un certain temps du moins, à accepter une occupation respectable, peut très bien gagner sa vie.

Ceux qui désirent vraiment acquérir l'indépendance financière n'ont qu'à faire preuve de détermination en ce sens et à prendre les moyens nécessaires, comme ils le font pour tout objectif, et la chose devient dès lors aisément réalisable. Mais bien qu'il soit facile de gagner de l'argent, je ne doute pas un instant que mes auditeurs s'entendront avec moi pour dire que le conserver est la chose la plus difficile au monde.

La route vers la richesse est, comme le dit si justement Benjamin Franklin, « aussi nette que celle qui conduit au moulin ». Il suffit de dépenser moins que nous ne gagnons ; le problème semble très simple. Monsieur Micawber, un des merveilleux personnages du génial Dickens, met le phénomène en lumière lorsqu'il déclare qu'avoir un revenu de vingt livres par année et dépenser vingt livres et six pence est la pire des pauvretés ; alors qu'avoir un revenu de vingt livres par année et ne dépenser que dix-neuf livres et six pence est le lot du plus heureux des mortels.

Plusieurs de mes auditeurs diront peut-être : « Nous comprenons cela ; c'est de l'économie, et nous savons que l'économie est la richesse ; nous savons qu'on ne peut à la fois manger le gâteau et le conserver. » Pourtant, je dirai qu'il y a peut-être plus d'échecs qui résultent d'erreurs à ce sujet que de toute autre cause. En fait, bien des gens pensent comprendre l'économie alors qu'en réalité, ils n'y comprennent rien.

La véritable économie consiste à faire en sorte que les revenus excèdent les dépenses. Portez vos vieux vêtements un peu plus longtemps si nécessaire ; passez-vous de cette nouvelle paire de gants ; raccommodez vos vieilles robes ; mangez des aliments plus ordinaires si nécessaires ; faites en sorte qu'en toutes circonstances, à moins qu'un accident imprévu ne se produise, le revenu soit supérieur aux dépenses. Un cent ici, un dollar là, ajoutés à l'intérêt qu'ils rapportent, s'accumulent, et ainsi le résultat recherché est atteint. Cela requiert une certaine pratique, sans doute, pour maîtriser cette économie, mais une fois que vous y serez habitué, vous vous apercevrez qu'il y a plus de satisfaction à économiser de manière rationnelle qu'à dépenser de manière irrationnelle.

Voici une recette que je vous recommande ; j'ai constaté qu'elle constituait une excellente cure à l'extravagance et surtout à l'économie erronée : Si vous vous apercevez qu'il ne vous reste rien à la fin de l'année, malgré votre revenu plus que suffisant, je vous conseille de prendre quelques feuilles de papier, d'en faire un cahier et d'y noter chacune des dépenses que vous ferez. Divisez une page, chaque jour ou chaque semaine, en deux colonnes, l'une consacrée aux nécessités ou même au confort et l'autre au luxe ; vous découvrirez que cette deuxième colonne est deux fois, trois fois, et souvent dix fois plus importante que la première. Le véritable confort de la vie ne coûte qu'une maigre portion de ce que gagnent la plupart d'entre nous.

Le docteur Franklin dit : « Ce sont les yeux des autres, et non pas nos propres yeux, qui nous ruinent. Si tout le monde était aveugle sauf moi, je ne rechercherais pas les beaux vêtements et les beaux meubles. » C'est la crainte de ce que peut dire madame Grundy qui pousse bien des familles valables à redoubler d'efforts. En Amérique, nombre de gens se plaisent à répéter : « Nous sommes tous libres et égaux », mais cela est une grossière erreur à bien des égards.

Que nous soyons nés « libres et égaux » est une glorieuse vérité en un sens, bien que nous ne soyons pas nés également riches, ce que nous ne serons jamais. Quelqu'un pourra dire : « Voilà un homme qui a un revenu annuel de cinquante mille dollars, alors que je ne gagne que mille dollars. Je connaissais cet homme lorsqu'il était aussi pauvre que moi ; maintenant il est riche et se croit meilleur que moi. Je vais lui montrer que je suis aussi bon que lui, je vais aller m'acheter un cheval et une voiture. Non, je ne peux faire cela, mais je vais aller louer une voiture et me promener sur le même chemin que lui cet après-midi, afin de lui prouver que je suis aussi bon que lui. »

Mon ami, vous n'avez pas besoin de vous donner ce mal, vous pouvez facilement prouver que vous êtes aussi bon que lui. Vous n'avez qu'à vous conduire aussi bien que lui, mais vous ne pouvez faire croire à personne que vous êtes aussi riche que lui. De plus, si vous vous donnez des grands airs et que vous gaspillez votre temps et votre argent, votre pauvre femme sera obligée de trimer dur à la maison, d'acheter son thé deux onces à la fois et tout le reste en petites portions afin que vous puissiez sauver les apparences pour, en fin de compte, ne tromper personne.

Les hommes et les femmes qui sont habitués de réaliser leurs moindres caprices auront du mal, au début, à éliminer leurs diverses dépenses inutiles et verront comme un sacrifice le fait de vivre dans une maison plus petite que celle à laquelle ils étaient habitués, avec des meubles moins coûteux, moins de domestiques, des vêtements moins chers, moins d'invités, moins de soirées, de fêtes, de sorties au théâtre, de promenades en voiture, de randonnées de plaisir, de cigares, d'alcool et autres extravagances. Mais après tout, s'ils mettent en pratique le projet d'économie d'une petite somme d'argent rapportant des intérêts ou judicieusement investie dans l'immobilier, ils découvriront avec étonnement le plaisir qu'ils auront à augmenter leur « magot » de même qu'à vivre dans un esprit d'économie.

Le vieux costume, le vieux bonnet et la vieille robe dureront une autre saison ; l'eau de source aura meilleur goût que le champagne ; un bain froid et une brève promenade s'avéreront plus vivifiants qu'une randonnée à bord de la plus belle des voitures ; une conversation amicale, une soirée de lecture en famille et une heure de jeux divers pourront être beaucoup plus agréables qu'une soirée à cinquante ou à cinq cents dollars, lorsque la différence de coût sera bien assimilée par ceux qui commencent à économiser.

Des milliers d'hommes restent pauvres et des dizaines de milliers le deviennent après avoir gagné de quoi vivre toute leur vie durant, simplement parce qu'ils vivent à la limite de leurs moyens. Il y a des familles qui dépensent vingt mille dollars par années, et d'autres beaucoup plus, et qui ne sauraient vivre avec moins d'argent, alors que souvent d'autres familles vivent plus agréablement avec le vingtième de cette somme. La prospérité, surtout soudaine, est plus éprouvante que l'adversité. Comme le dit l'adage : L'argent vite gagné est vite dépensé.

L'orgueil et la vanité, lorsqu'on leur donne libre cours, finissent par emporter tout ce qu'un homme possède, qu'il soit riche ou pauvre, qu'il s'agisse de centaines ou de millions. Bien des gens, lorsqu'ils deviennent prospères, modifient immédiatement leurs idées et se lancent dans le luxe, jusqu'à ce que, après un court laps de temps, leurs dépenses engloutissent leurs revenus, et ils se retrouvent ruinés dans leur ridicule tentative de sauver les apparences, de faire sensation.

Je connais un homme fortuné qui raconte que, lorsqu'il a commencé à gagner pas mal d'argent, sa femme voulut se procurer un nouveau canapé élégant. « Ce canapé, dit-il, m'a coûté trente mille dollars ! » Lorsque fut livré le canapé à la maison, on trouva nécessaire d'acheter des fauteuils assortis ; puis des buffets, des tapis et des tables, de même que tout le reste du mobilier. Lorsqu'enfin on s'aperçut que la maison elle-même était trop petite et trop vieille pour le mobilier, on dut en construire une nouvelle qui correspondait aux nouvelles acquisitions.

« Ainsi, ajouta mon ami, je dus débourser trente mille dollars à cause de ce simple canapé, avec en plus, onze mille dollars par année pour les domestiques, un équipage et toutes les dépenses inhérentes à la tenue d'une « bonne maison » ; pourtant, dix ans auparavant, nous vivions beaucoup plus confortablement, avec bien moins de soucis et dix fois moins d'argent. Le fait est, poursuivit-il, que ce canapé m'aurait acculé à la faillite si ce n'avait été d'une vague de prospérité jamais vue qui m'a maintenu à flot et si je n'avais tempéré mon désir naturel de faire sensation. »

Évitez l'endettement

Les jeunes hommes qui commencent dans la vie doivent éviter de s'endetter. Il n'y a à peu près rien d'aussi nuisible que l'endettement. Celui qui a des dettes se retrouve dans une situation de servilité, et pourtant on voit souvent des jeunes gens à peine sortis de l'adolescence qui s'endettent. Un jeune homme rencontre un ami et dit : « Regarde-moi ça ; j'ai acheté ce nouveau costume à crédit. » Il semble considérer ses vêtements comme si on lui en avait fait cadeau. Cela est fréquent, mais s'il réussit à rembourser sa dette et obtient à nouveau du crédit, il acquiert une habitude qui lui vaudra de rester pauvre toute sa vie.

L'endettement prive l'homme du respect de soi, et le pousse presque à se mépriser. Grognant et gémissant, il travaille pour payer ce qu'il a déjà mangé ou usé, et lorsqu'il se voit contraint de payer, il n'obtient rien en échange de son argent : C'est ce que l'on appelle avec justesse « travailler pour du vent ». Je ne parle pas des marchands qui achètent et qui vendent à crédit, ou de ceux qui achètent à crédit en espérant y trouver un profit. Le vieux quaker disait à son fils : « John, n'achète jamais à crédit ; mais si tu dois faire appel au crédit, que ce soit pour de l'engrais, parce qu'il se remboursera de lui-même. »

Monsieur Beecher conseillait à un jeune homme d'emprunter si possible une petite somme pour s'acheter une terre dans les régions rurales. « Si un jeune homme s'endette pour acheter une terre et se marie, ces deux éléments le maintiendront dans le droit chemin, sinon rien d'autre ne le fera. » Ce conseil est peut-être valable dans une certaine mesure, mais évitez de vous endetter pour le manger, le boire et les vêtements. Certaines familles ont la fâcheuse habitude d'acheter à crédit dans les magasins, et elles achètent fréquemment de nombreux biens dont elles pourraient se passer.

À certains égards, l'argent s'apparente au feu ; il est un excellent serviteur, mais un très mauvais maître. Lorsqu'il vous domine, lorsque l'intérêt de votre dette augmente constamment, l'argent vous maintient dans le pire esclavage qui soit. Mais faites travailler l'argent pour vous et vous disposez du serviteur le plus dévoué au monde. Ce n'est pas un serviteur ordinaire. Il n'y a rien d'animé ou d'inanimé qui soit plus fidèle que l'argent bien investi. Il travaille nuit et jour, par tous les temps.

Ne le laissez pas travailler contre vous ; sinon, vous n'avez aucune chance de succès dans la vie en ce qui concerne l'argent. John Randolph, le Virginien excentrique, s'est un jour exclamé au Congrès : « Monsieur le président, j'ai découvert la pierre philosophale : payez comptant. » Il n'y a sans doute aucun alchimiste qui se soit autant approché de la pierre philosophale.

Quoi que vous fassiez, mettez-y toute votre énergie

Travaillez, si nécessaire, jour et nuit, quelle que soit la saison, ne laissant aucune voie inexplorée et ne retardant pas d'une seule heure ce qui peut être fait maintenant. Le vieux proverbe suivant est plein de vérité et de sens : « Tout ce qui vaut la peine d'être fait vaut la peine d'être bien fait. » Il arrive souvent que des hommes s'enrichissent en faisant bien leur travail, alors que d'autres restent pauvres toute leur vie parce qu'ils font leur travail à moitié. L'ambition, l'énergie, l'industrie et la persévérance sont indispensables à la réussite au travail.

La fortune sourit toujours aux audacieux et elle échappe à celui qui ne s'aide pas. Vous n'obtiendrez rien à passer votre temps, comme monsieur Micawber, à attendre que quelque chose se produise. Dans un tel cas, il pourra se produire deux choses : la pauvreté ou la prison ; car l'oisiveté est la mère de tous les vices et génère la pauvreté.

Un vagabond dépensier disait à un riche : « J'ai découvert qu'il y a assez d'argent dans le monde pour chacun de nous, à condition de le partager également ; si nous faisions cela, nous serions tous heureux. »

« Mais, répondit le riche, si tout le monde était comme vous, l'argent serait dépensé en deux mois ; que feriez-vous ensuite ? »

« On n'aurait qu'à partager à nouveau, à partager constamment, bien sûr ! »

Je lisais récemment dans un journal londonien l'histoire d'un semblable philosophe qui avait été évincé d'une modeste maison de rapport parce qu'il ne pouvait payer son loyer ; pourtant, il avait dans sa poche un imposant document : Il avait mis au point une méthode pour payer la dette nationale de l'Angleterre sans qu'il soit nécessaire de débourser un penny. Les gens doivent suivre ce conseil de Cromwell : « Il vous faut faire confiance à la Providence, mais vous devez aussi travailler. » Faites votre part du travail, sinon vous ne pourrez réussir.

Un soir, Mohammed, qui campait dans le désert, entendit l'un de ses disciples épuisés qui disait : « Je vais chasser mon chameau et faire confiance à Dieu. »

« Non, non, ne fais pas cela, dit le prophète, attache bien ton chameau, et fais confiance à Dieu ! » Faites tout ce que vous pouvez pour vous aider, et remettez-vous-en à Dieu, à la chance ou à tout ce que vous voudrez.

Ne vivez pas au-dessus de vos moyens

Certains jeunes hommes, une fois leur formation terminée, plutôt que de poursuivre une carrière et d'entreprendre de progresser normalement, racontent des histoires et ne font rien. Ils disent : « J'ai appris mon métier, mais je ne serai jamais subalterne ; à quoi bon apprendre mon métier ou ma profession si je ne puis m'établir ? »

« Avez-vous du capital pour vous lancer en affaires ? »

« Non, mais je vais en avoir. »

« Et comment ferez-vous ? »

« Je vais vous confier un secret : j'ai une vieille tante riche qui mourra bientôt ; sinon, je compte trouver un vieux riche qui me prêtera quelques milliers de dollars pour commencer. Je n'ai qu'à trouver le capital initial et tout ira bien. »

Il n'y a pas de plus grande erreur que de croire que l'on réussira à l'aide d'argent emprunté. Pourquoi ? Parce que l'expérience de chacun coïncide avec celle de monsieur Jacob Astor, qui disait qu'il avait eu plus de mal à accumuler ses mille premiers dollars que tous les millions qui avaient par la suite constitué sa fortune colossale. L'argent ne sert à rien, à moins que vous n'en connaissiez la valeur à force d'expérience. Donnez à un jeune homme vingt mille dollars et lancez-le en affaires, et il perdra probablement jusqu'au dernier cent en moins d'un an. C'est un peu comme acheter un billet de loterie et remporter un prix : L'argent est vite gagné, mais aussi vite dépensé. La personne n'en connaît pas la valeur ; rien n'a de valeur lorsqu'on peut l'acquérir sans effort.

Sans l'oubli de soi et l'économie, la patience et la persévérance, et sans un capital initial gagné à la sueur de votre front, vous n'êtes pas certain de réussir. Plutôt que d'attendre le décès de leurs aînés, les jeunes gens devraient se mettre au travail, car nul ne met plus d'entêtement à vivre qu'une personne riche et âgée, et il est bien pour ses héritiers qu'il en soit ainsi. De nos jours, neuf hommes riches sur dix, au pays, ont commencé sans argent, armés de leur détermination, de leur industrie, de leur persévérance, de leur économie et de leurs bonnes habitudes. Ils ont progressé graduellement, gagnant leur propre argent et l'économisant, et c'est la meilleure façon de faire fortune.

Stephen Girard a commencé dans la vie comme préposé aux cabines ; il paye maintenant de l'impôt sur un revenu annuel d'un million et demi de dollars. John Jacob Astor était un modeste garçon de ferme et à sa mort il valait vingt millions de dollars. Cornelius Vanderbilt a commencé en faisant la navette en chaloupe à rames entre Staten Island et New York ; il possède aujourd'hui un bateau à vapeur d'un million de dollars et sa fortune est évaluée à cinquante millions.

Ne dissipez pas vos énergies

Ne vous consacrez qu'à une seule occupation et travaillez-y fidèlement jusqu'à ce que vous réussissiez, ou jusqu'à ce que l'expérience vous dicte d'abandonner. En frappant constamment sur le même clou, on parvient généralement à l'enfoncer tout à fait. Lorsqu'un homme concentre son attention sur un seul objet, son esprit lui suggère constamment des améliorations de valeur, qui lui échapperaient s'il était préoccupé par une douzaine de sujets différents à la fois. Bien des hommes ont vu la fortune leur glisser entre les doigts parce qu'ils s'adonnaient à trop d'occupations à la fois. L'adage qui conseille de ne pas courir deux lièvres à la fois est très sensé.

Méfiez-vous des « influences extérieures »

Il arrive que l'on voie des hommes qui ont amassé des fortunes redevenir pauvres tout à coup. Dans bien des cas cela est imputable à l'intempérance, et souvent au jeu et à d'autres mauvaises habitudes. Cela se produit fréquemment lorsqu'un homme se soumet à des « influences extérieures ». Lorsqu'il s'enrichit dans le cadre de son travail légitime, on lui indique des domaines où il peut gagner des milliers et des milliers de dollars. Il est constamment flatté par ses amis qui lui disent qu'il est né sous une bonne étoile et que tout ce qu'il touche se transforme en or.

S'il oublie que son économie, la rectitude de sa conduite et son attention personnelle à un domaine d'activité qu'il connaissait bien lui ont valu sa réussite dans la vie, il écoutera la voix des sirènes. Il se dira : « Je vais investir vingt mille dollars. J'ai déjà été chanceux et ma chance me rapportera soixante mille dollars en un rien de temps. »

Quelques jours se passent et il s'aperçoit qu'il lui faut investir dix mille dollars de plus ; peu de temps après on lui dit que tout va bien, mais qu'à cause de certains imprévus il doit verser vingt mille dollars de plus, ce qui lui rapportera beaucoup. Mais avant qu'il ne s'en rende compte, le ballon crève, il perd tout ce qu'il possédait et c'est alors qu'il apprend ce qu'il aurait dû savoir dès le départ : Quel que soit le succès d'un homme dans son domaine d'activités, s'il s'engage dans une activité qu'il ne connaît pas, il est comme Samson privé de sa chevelure et devient semblable aux autres hommes.

Lorsqu'un homme a beaucoup d'argent, il doit investir dans tout ce qui lui semble prometteur et profitable pour l'humanité ; mais il doit faire en sorte que chaque somme ainsi investie soit modeste, et toujours éviter de mettre en péril une fortune acquise de façon légitime en l'investissant dans des projets dont il n'a aucune expérience.

Soyez discret

Certains individus ont la stupide habitude de raconter leurs secrets professionnels. S'ils gagnent de l'argent, ils aiment informer leurs voisins de la manière dont ils y sont parvenus. Vous n'avez rien à gagner de cela, et souvent beaucoup à perdre. Ne parlez pas de vos profits, de vos espoirs, de vos attentes ou de vos intentions. Et cela s'applique tout autant à la correspondance qu'à la conversation. Ainsi, Gœthe fait dire à Méphistophélès : « Évite de rédiger ou de détruire une lettre. » Les hommes d'affaires doivent écrire des lettres, mais ils doivent faire attention à ce qu'ils y mettent. Si vous perdez de l'argent, soyez particulièrement prudent et n'en parlez pas, sous peine de perdre votre réputation.

Préservez votre intégrité

Cette qualité est plus précieuse que les diamants et les rubis. Le vieil avare disait à ses fils : « Gagnez de l'argent ; gagnez-le honnêtement si vous le pouvez, mais gagnez-en. » Ce conseil n'était pas seulement horriblement insidieux, mais il était l'essence même de la stupidité. Cela revenait à dire : « Si vous avez du mal à acquérir de l'argent honnêtement, vous pouvez toujours en acquérir malhonnêtement. Acquérez-en de cette façon. »

Pauvre fou, qui ne sait pas que ce qu'il y a de plus difficile dans la vie est d'acquérir de l'argent malhonnêtement. Qui ne sait pas que nos prisons sont remplies d'hommes qui ont tenté de suivre ce conseil ; qui ne comprend pas que nul ne peut être malhonnête sans être aussitôt démasqué, et que lorsque ce manque de scrupules est découvert, presque toutes les avenues de succès lui sont fermées pour toujours. Les gens fuient prudemment tous ceux dont l'intégrité est mise en doute. Même si un homme est poli, agréable et accommodant, nous n'entretiendrons pas de rapports avec lui si nous le soupçonnons de mentir. La stricte honnêteté constitue non seulement le fondement de tout succès financier, mais elle est aussi à la base de toute réussite, quelle qu'elle soit.

L'intégrité totale est inestimable. Elle procure à l'individu une paix et une joie qu'elle seule permet d'atteindre, que nulle somme d'argent, maison ou terrain ne permet d'acheter. L'homme dont on reconnaît la stricte honnêteté, même s'il est pauvre, a tout l'argent des autres à sa disposition, car tous savent que s'il promet de rendre ce qu'il emprunte, il ne les trompera jamais. Par conséquent, ne serait-ce que pour des raisons égoïstes, si l'homme n'a pas d'autre motif pour être honnête, il s'apercevra que la maxime du docteur Franklin est toujours fondée : « L'honnêteté est toujours la meilleure potitique à suivre. »

La richesse n'équivaut pas toujours à la réussite. « Il existe de nombreux pauvres riches », alors que beaucoup d'autres, femmes et hommes honnêtes et dévoués, qui n'ont jamais possédé autant d'argent que certains riches en dépensent en une semaine, sont néanmoins plus riches et plus heureux que pourra jamais l'être quiconque transgresse les plus hautes lois de son être.

L'amour immodéré de l'argent est sans aucun doute « la source de tous les maux », mais l'argent lui-même, bien utilisé, est un outil précieux et une bénédiction pour l'humanité, car il permet à son possesseur d'améliorer l'influence et le bonheur humains. Le désir de la richesse est presque universel et nul ne peut dire qu'il n'est pas louable, à condition que celui qui le possède en accepte les responsabilités et l'utilise pour le bien de l'humanité.

L'histoire de l'acquisition de l'argent, c'est-à-dire du commerce, est l'histoire même de la civilisation, et partout où le commerce a le plus prospéré, l'art et la science ont aussi produit leurs plus beaux fruits. En effet, de façon générale, ceux qui gagnent beaucoup d'argent sont les bienfaiteurs de l'humanité. C'est à eux que nous devons, dans une large mesure, nos institutions pédagogiques et artistiques, nos académies, nos universités et nos institutions religieuses.

Cela ne constitue pas un argument contre la recherche ou la possession de la richesse que de dire qu'il y a parfois des avares qui accumulent pour le simple plaisir d'accumuler, et qui n'ont d'autre aspiration que celle de se saisir de tout ce qui passe à leur portée. Il y a des hypocrites dans le domaine de la religion et des démagogues en politique, et il y a aussi, à l'occasion, des avares parmi les riches. Ceux-ci ne sont toutefois que des exceptions à la règle générale. Mais lorsque, dans notre pays, nous faisons la rencontre de cette nuisance et de cet obstacle qu'est un avare, nous nous rappelons avec gratitude qu'en Amérique il n'existe pas de lois sur le droit d'aînesse et que le temps viendra où la fortune ainsi accumulée sera appliquée au bénéfice de l'humanité.

Par conséquent, je conseille à tous les hommes et femmes de gagner de l'argent honnêtement, et pas autrement, car Shakespeare a déclaré avec justesse : « Celui qui désire de l'argent, du pouvoir et du bonheur est privé de trois bons amis. »

*Ce que vous êtes sur le point
d'apprendre a rapporté 100 000 000 $ à
Andrew Carnegie.*

Napoleon Hill

Vingt-septième leçon

Comment transformer
vos désirs en or

Lorsque Andrew Carnegie, fondateur de l'industrie de l'acier aux États-Unis, était au sommet de son pouvoir, il fut interviewé par un jeune homme plein d'avenir qui travaillait pour un journal d'affaires. Au cours de cette interview, Carnegie fit subtilement allusion à un mystérieux maître-pouvoir qu'il utilisait, une loi magique de l'esprit, un principe psychologique peu connu qui permettait d'accomplir de grandes merveilles.

Napoleon Hill écoutait attentivement Carnegie lui révéler qu'à partir de ce simple principe, il pouvait ériger la philosophie de toutes les réussites personnelles, qu'elles soient mesurables en termes d'argent, de pouvoir, de statut, de prestige, d'influence ou de renommée.

Quel était le secret de Carnegie ? Napoleon Hill le révéla plus tard dans un livre qui allait devenir le plus grand best-seller de tous les temps portant sur le succès : *Réfléchissez et devenez riche.* La présente leçon, qui est tirée de ce classique, porte sur l'application de la formule magique de Carnegie à l'acquisition de la richesse, bien qu'elle puisse vous aider à atteindre n'importe quel but, à condition que votre désir soit suffisamment fort.

Andrew Carnegie était convaincu qu'à peu près tout ce que l'on enseignait dans les écoles ne valait rien pour ce qui était d'aider l'individu à gagner sa vie ou de devenir riche. Il croyait sincèrement que sa formule, enseignée dans les écoles publiques et les universités, révolutionnerait le système d'éducation tout entier. Malheureusement, ce souhait ne se réalisa jamais, mais nous sommes fiers d'inclure son secret dans *l'Université du Succès*. Cela vous sera-t-il profitable? Vous seul pouvez le dire. Rappelez-vous que votre esprit n'a pour limites que celles que vous lui imposez...

Lorsque, il y a plus de cinquante ans, Edwin C. Barnes descendit du train à East Orange, il aurait facilement pu passer pour un vagabond tant il était vêtu pauvrement; cependant ses pensées étaient celles d'un roi!

Tandis qu'il se rendait au bureau de Thomas A. Edison, il réfléchissait. Il se voyait parlant à Edison, lui demandant de l'aider à réaliser son désir. Non pas un *espoir* ou un *souhait* mais un *désir ardent* qui surpassait tout le reste et qui était très *précis*.

Quelques années plus tard, Edwin C. Barnes se trouvait avec Edison dans ce même bureau. Mais alors son désir était devenu réalité: *Barnes était l'associé d'Edison*. Il avait réussi parce qu'il avait voulu de tout son corps et de toute son âme mener à bien le but précis qu'il s'était choisi.

Pas de retraite possible

Cinq ans s'écoulèrent avant que l'occasion attendue se présentât. Pour tout le monde, il n'était qu'un rouage de plus dans l'affaire d'Edison, mais depuis le premier jour qu'il était entré dans la maison, il se sentait l'associé de l'inventeur. Il désirait l'être plus que tout au monde et dans ce but, il élabora un plan. Pour être sûr d'aller de l'avant, il coupa les ponts derrière lui. Son désir, d'abord obsession, devint un fait réel.

Lors de son voyage à East Orange, il ne se disait pas : « Je vais demander à Edison de me trouver un travail, n'importe lequel », mais bien : « Je verrai Edison et préciserai que je veux faire affaire avec lui. »

Il ne raisonnait pas non plus de la façon suivante : « Si jamais Edison ne peut rien pour moi, j'essaierai de trouver du travail dans le coin, » mais il se répétait fermement : « Je ne désire qu'une chose : être l'associé d'Edison. Et je le deviendrai. Mon avenir dépend uniquement de la persuasion dont j'userai aux fins d'obtenir ce que je veux. »

Volontairement il ne se ménagea aucune porte de sortie. Il devait *vaincre ou mourir !*

Tout le secret de la réussite de Barnes est là.

Il brûla ses vaisseaux

L'antiquité nous rapporte comment un fameux guerrier grec gagna une bataille avec une armée moins forte numériquement que celle de l'ennemi. Il fit monter ses soldats sur des vaisseaux et cingla vers le pays belligérant. Là, il fit débarquer hommes et armes, puis donna l'ordre de mettre le feu aux embarcations. Haranguant ses soldats avant la bataille, il leur dit : « Comme vous pouvez le constater, nous n'avons plus de bateaux. Cela veut dire que nous ne pourrons quitter ces rivages vivants que si nous gagnons la bataille. Nous n'avons plus le choix : *il nous faut vaincre ou mourir !* »

Ils remportèrent la victoire.

Celui qui veut réussir doit brûler ses vaisseaux, se coupant ainsi toute retraite. Cette méthode engendrera chez lui un état d'esprit qui est la clé du succès.

Le lendemain du grand incendie de Chicago, des commerçants de State Street contemplaient les restes calcinés de leurs magasins. Ils tinrent une conférence pour décider s'il fallait reconstruire, ou quitter Chicago et ouvrir boutique dans un endroit plus rentable.

Ils conclurent qu'il fallait quitter la ville. Un seul, pointant du doigt les ruines de son magasin, décida : « Messieurs, ici même je ferai construire le plus grand magasin du monde et j'y arriverai, même s'il devait brûler dix fois ! »

Un siècle s'est écoulé. Le magasin est toujours là et c'est un monument qui témoigne de la puissance d'un désir ardent. Pour Marshall Field, la solution facile eut été de suivre ses compagnons d'infortune et, fuyant une situation difficile et un avenir qui paraissait peu souriant, de chercher ailleurs un bonheur plus accessible.

Cependant, retenez bien ceci : alors que Marshall Field réussissait au-delà de ses espérances, les autres commerçants connaissaient tous de cuisants échecs là où ils s'étaient installés.

Tout être humain, à un moment donné, souhaite avoir de l'argent. Or, il ne suffit pas de *souhaiter* être riche pour le devenir, il faut le *désirer* jusqu'à l'obsession, bâtir dans ce but un plan précis et s'y tenir avec une persévérance *de tous les instants*.

Six instructions qui transformeront vos désirs en or

Voici les six instructions précises et faciles à exécuter qui vous permettront de changer vos désirs en leur équivalent matériel, c'est-à-dire en monnaie sonnante et tré-buchante :

1. Fixez le montant *exact* de la somme que vous désirez ; il ne suffit pas de dire : « Je veux beau-coup d'argent » ; il faut en préciser la quantité.

2. Sachez exactement ce que vous allez *donner* en échange de l'argent que vous désirez. On n'a rien pour rien.

3. Fixez avec précision la date à laquelle vous vou-lez être *en possession* de cet argent.

4. Établissez le plan qui vous aidera à transformer votre désir et *commencez-en immédiatement l'application,* même si vous jugez que vous n'êtes pas encore prêt.

5. Écrivez clairement sur un papier la somme que vous voulez acquérir, le délai que vous vous êtes fixé, ce que vous avez l'intention de donner en contrepartie et le plan précis que vous avez ima-giné pour mener tout cela à bien.

6. Lisez ce papier à haute voix deux fois par jour : le soir avant de vous endormir et le matin en vous réveillant. Pendant cette lecture, il est essentiel que déjà vous vous voyiez, sentiez et croyiez en possession de cet argent.

Il est très important que vous appliquiez à la lettre ces six principes et spécialement le sixième. Peut-être, me direz-vous, qu'il vous est impossible de faire sem-blant d'avoir déjà cet argent ? Cependant, si votre désir est aussi fort qu'il doit l'être, rien ne pourra vous arrêter et vous vous convaincrez facilement que vous êtes déjà riche. Ce qu'il faut, c'est vouloir de l'argent et être si décidé à en avoir qu'il est facile alors de se convaincre soi-même qu'on le possède déjà !

Des instructions qui valent 100 000 000 de dollars

Ces instructions paraîtront incompréhensibles à ceux qui ne sont pas initiés au fonctionnement du cerveau humain. Il est bon que les sceptiques sachent qu'elles firent d'Andrew Carnegie, petit ouvrier dans une aciérie, un milliardaire et que feu Thomas A. Edison les approuva entièrement comme étant des étapes indispensables pour atteindre la fortune et n'importe quel autre objectif.

Vous n'aurez pas besoin, pour suivre ces instructions, de travailler dur, de faire des sacrifices, de paraître ridicule ou naïf, d'être très instruit. Mais, par contre, il vous faudra assez d'imagination pour comprendre que l'on ne fait pas fortune par hasard ou par chance, et qu'il vous faut d'abord rêver, espérer, désirer, vouloir et enfin *tirer des plans avant* de réussir.

Sachez également dès maintenant que vous ne gagnerez jamais beaucoup d'argent *si* vous n'en avez pas le *désir ardent et si au fond de vous-même vous ne le croyez pas possible.*

De beaux rêves peuvent vous apporter la richesse

Le monde moderne dans lequel nous vivons a besoin de nouvelles idées, de nouveaux chefs, de nouvelles inventions, de nouvelles méthodes d'enseignement et de vente commerciale, d'une nouvelle littérature, d'une nouvelle technique pour la télévision et le cinéma. Voilà qui devrait nous stimuler, nous qui sommes engagés dans la course à la richesse. Rappelez-vous que ceux qui ont dominé le monde, les vrais chefs de l'humanité, sont ceux qui ont converti leurs pensées en gratte-ciel, en villes, en usines, en automobiles, etc. Par la force de leur pensée, ils ont créé des biens matériels. Ils savaient ce qu'ils voulaient et le *désiraient ardemment.* Sans quoi ils auraient échoué.

Lorsque vous aurez décidé d'acquérir votre part de richesse, ne vous laissez pas influencer, même si l'on se moque de votre rêve. Essayez de retrouver l'esprit des grands pionniers qui ont donné à notre civilisation tout ce qu'elle a de plus valable.

Si ce que vous désirez entreprendre n'est réprouvé ni par la loi, ni par la morale, *si vous y croyez,* alors n'hésitez pas : faites-le et persévérez dans votre entreprise. Qu'importe ce que « les autres » diront si d'abord vous échouez. Ils ne savent pas que tout échec porte le germe de la réussite. Prenez l'exemple de Thomas Edison qui rêva d'une lampe électrique et la réalisa après plus de *10 000 échecs* ! Seuls les rêveurs stériles abandonnent. Whelan rêva d'une chaîne de magasins de tabacs et actuellement « l'Union des Magasins de tabacs » occupe en Amérique quelques-uns des meilleurs emplacements.

Les frères Wright rêvèrent d'une machine qui s'élèverait dans les airs. Personne ne peut contester cette prémonition.

Marconi rêva d'un système qui dompterait les forces intangibles de l'atmosphère. Chaque radio, chaque télévision dans le monde est une preuve qu'il ne rêva pas en vain. Lorsqu'il annonça à ses intimes qu'il avait découvert le moyen d'envoyer des messages à travers l'atmosphère, sans l'aide de fils ni d'aucun intermédiaire, des amis affolés le firent surveiller et le contraignirent même à un examen psychiatrique !...

De nos jours, les « rêveurs » sont mieux accueillis et le monde regorge d'occasions inconnues de leurs prédécesseurs.

Le désir suit immédiatement le rêve

Si vous êtes paresseux ou peu ambitieux, vous ne réaliserez pas votre rêve ; il faut pour le mener à bien que vous ayez le désir ardent de vous imposer.

Rappelez-vous que tous ceux qui ont réussi ont connu de nombreuses désillusions et des moments difficiles. Souvent des crises graves leur ont ouvert de nouveaux horizons et leur ont fait découvrir leur être véritable. John Bunyan écrivit *Le voyage du Pèlerin,* un des chefs-d'œuvre de la littérature anglaise, après avoir été emprisonné pour ses idées religieuses.

O. Henry vit fondre sur lui de grandes épreuves. L'une fut à l'origine de son génie. Emprisonné à Columbus dans l'Ohio et conduit ainsi à découvrir son être véritable, il devint un grand écrivain.

Charles Dickens débuta en collant des étiquettes sur des flacons. Il ressentit si vivement le drame de son premier amour qu'avec *David Copperfield,* suivi d'autres chefs-d'œuvre, il devint l'un des plus grands écrivains du XIXe siècle.

Le nom d'Helen Keller restera gravé dans la mémoire des hommes. Pourtant sa détentrice fut aveugle, sourde et muette. Toute sa vie prouve *qu'un échec non reconnu, n'en est pas un.*

Robert Burns, petit campagnard illettré, était promis à la pauvreté et peut-être à la boisson. Mais son œuvre poétique s'épanouit comme une rose qu'il aurait fait pousser dans la boue.

Beethoven était sourd et Milton aveugle. Mais tous deux concrétisèrent leurs rêves et figurent au panthéon des hommes célèbres. Il y a une différence entre vouloir une chose et être prêt à la recevoir. On ne peut être prêt pour quelque chose si on ne *croit* pas fermement pouvoir l'acquérir : l'espoir ou la volonté ne suffisent pas, il faut encore *la foi*. N'oubliez pas qu'il ne faut pas plus d'efforts pour viser haut qu'il n'en faut pour accepter la misère et la pauvreté. Un grand poète a exprimé cette vérité éternelle :

J'ai demandé à la Vie un sou
Et je n'ai pas reçu davantage
Bien que j'aie prié le soir
Dans ma misérable échoppe.

Car la Vie est la plus juste des patronnes :
Elle vous donne ce que vous demandez,
Mais une fois votre salaire fixé
Vous devez vous en contenter.

J'ai travaillé pour un salaire de laquais
Pour apprendre consterné
Que j'aurais pu demander à la Vie n'importe quels gages,
Elle me les aurait volontiers donnés.

Le désir rend possible « l'impossible »

Pour clore ce chapitre, je citerai encore quelques exemples frappants. Tout d'abord, permettez-moi de vous présenter l'être le plus extraordinaire que j'aie connu. Lorsque je le vis pour la première fois, il venait de naître et sa petite tête ne portait pas trace d'oreilles. Le médecin déclara que l'enfant était sourd-muet.

En moi-même, je récusai vivement ce diagnostic. J'en avais le droit. J'étais le père de l'enfant. Mais je ne dis rien. Je ne pouvais m'expliquer comment je savais qu'un jour mon fils entendrait et parlerait. Plus que tout au monde, je désirais qu'il fût normal. Je sentis que dans son esprit, je devais faire passer mon propre désir. Je n'en parlai à personne et tous les jours je me répétais l'engagement que j'avais pris vis-à-vis de moi-même : faire de mon fils un être normal.

Lorsqu'il fut un peu plus grand et eut l'âge de s'intéresser aux objets qui l'entouraient, nous nous rendîmes compte qu'il entendait très faiblement. À l'âge où les autres commencent à parler, il n'essayait même pas de balbutier, mais nous savions, grâce à certaines de ses réactions, qu'il entendait vaguement quelques sons. C'était tout ce que je voulais savoir ; car j'étais persuadé que s'il pouvait entendre, même faiblement, il pourrait développer son ouïe. Et un jour cet espoir se trouva confirmé d'une manière tout à fait inattendue.

Nous trouvons un moyen...

Nous achetâmes un phonographe. Quand l'enfant entendit de la musique il fut tout émerveillé et accapara rapidement l'appareil. Un jour, il fit tourner le même disque pendant deux heures, debout devant le phonographe, les dents soudées au bord du coffre. Plus tard, apprenant que l'os est bon conducteur du son, nous sûmes la raison de cette attitude. Je me rendis compte qu'il me comprenait parfaitement lorsque je parlais en appuyant les lèvres sur l'os mastoïde à la base de son crâne. C'était le moment de transférer dans son esprit mon désir qu'il entendît et parlât. Comme il aimait beaucoup qu'on lui racontât des histoires, j'en inventai qui devaient développer sa confiance en soi, son imagination et *un désir ardent d'entendre et d'être comme les autres enfants.*

À son histoire préférée je donnais, chaque fois que je la contais, une nouvelle intensité dramatique. Elle avait pour but de le persuader que son infirmité n'était pas un boulet qu'il traînerait toute sa vie, mais un atout formidable. Bien que toutes les philosophies m'aient enseigné que tout revers porte le germe de la réussite, je dois avouer que je ne voyais absolument pas comment cette infirmité pourrait jamais se transformer en un précieux avantage !

Rien n'aurait pu l'arrêter

En repensant à cette expérience, je comprends que les résultats inouïs que nous obtînmes étaient avant tout dus à *la foi* que mon fils mettait en moi. Il ne s'étonnait de rien, ne me posait jamais de questions. Je lui expliquais qu'il possédait un net avantage sur son frère aîné ce qui, de plusieurs manières, jouerait en sa faveur. Par exemple, à l'école, ses professeurs s'occuperaient davantage de lui et seraient très gentils, ce qui se révéla toujours exact. Lorsqu'il serait assez grand pour vendre des journaux et se faire un peu d'argent de poche, comme son frère, les gens lui donneraient de plus gros pourboires, le jugeant très courageux. Il avait environ sept ans lorsqu'il nous prouva pour la première fois que notre méthode portait ses fruits. Il voulait vendre des journaux, mais sa mère s'y opposait. Finalement, il décida d'agir seul. Un après-midi que nous l'avions laissé avec les domestiques, il sauta par la fenêtre de la cuisine, roula sur le sol, se releva et s'enfuit à toutes jambes. Au cordonnier, notre voisin, il emprunta six cents pour acheter des journaux qu'il vendit, en racheta avec son gain et continua ce trafic jusqu'au soir. Les six cents remboursés, son bénéfice net était de 42 cents. Lorsque nous rentrâmes à la maison, il dormait dans son lit, serrant dans une main sa petite fortune.

Sa mère pleura. J'eus la réaction contraire : j'éclatai de rire ; j'avais enfin réussi à inculquer à l'enfant la confiance en soi. Dans cette aventure, sa mère ne voyait qu'un infirme errant seul dans les rues et risquant sa vie pour gagner un peu d'argent. Je voyais un petit homme d'affaires, courageux, ambitieux et indépendant qui, en prenant l'initiative de son acte, s'était moralement enrichi et avait gagné la partie. Mon fils s'était montré très débrouillard et je pensais que cette qualité était appelée à lui rendre service plus tard.

Enfin il entend !

L'enfant fit toutes ses classes, puis fréquenta l'université sans pouvoir entendre ses professeurs sauf quand ceux-ci criaient et qu'il était au premier rang. Nous refusâmes de l'envoyer dans une institution pour sourds et ne voulûmes pas qu'il apprît l'alphabet des sourds-muets. Nous désirions qu'il partageât la vie des autres enfants et nous persistâmes dans notre décision, bien que nous eûmes à nous battre de nombreuses fois avec les autorités scolaires qui n'étaient pas de notre avis.

À l'époque de ses études secondaires, il essaya un appareil électrique pour sourds, mais sans résultat. Aussi, lorsque quelques années plus tard, peu avant de quitter l'université, il en reçut un autre, hésita-t-il longtemps avant de le porter craignant une déception aussi grande que la première. Finalement, n'y tenant plus, il plaça l'appareil au petit bonheur sur sa tête, le mit en marche et… miracle ! Comme par magie, le rêve de toute sa vie se réalisa : pour la première fois, il entendait presque aussi bien que les autres !

Bouleversé, il se précipita au téléphone et appela sa mère. Il entendit clairement sa voix comme le lendemain il devait entendre ses professeurs. Il pouvait converser sans que ses interlocuteurs dussent crier. Un monde nouveau s'ouvrait à lui.

Mais la victoire ne fut complète que lorsque le jeune homme eut métamorphosé son infirmité en un *splendide atout*.

Le jeune « sourd » aide les autres

Réalisant encore difficilement tout ce que cette découverte allait lui apporter, il écrivit, fou de joie, au fabricant de l'appareil, lui décrivant avec enthousiasme sa propre expérience. Sa lettre plut. Il fut invité à New York, escorté jusqu'à la fabrique où il rencontra l'ingénieur en chef. C'est en lui racontant comment sa vie avait été transformée par le petit appareil, qu'une idée, qui allait convertir son infirmité en atout et le rendre à la fois riche et heureux, lui traversa l'esprit.

Il comprit tout à coup qu'il pourrait venir en aide à des millions de sourds qui ignoraient encore les appareils électriques. Durant un mois entier, il fit des recherches dans ce sens, il étudia le marché du fabricant et imagina les moyens d'entrer en contact avec les sourds du monde entier. Puis il présenta à la compagnie un projet s'étalant sur deux ans et fut immédiatement engagé pour le mener à bien.

Je suis persuadé que Blair serait resté sourd-muet si sa mère et moi-même ne nous étions pas efforcés de modeler son esprit comme nous le fîmes. Mon désir que cet enfant entendît, parlât et menât une vie normale était si puissant qu'il influença la nature. Elle abolit le silence qui l'isolait du monde extérieur.

Blair désirait entendre, et il entend ! Pourtant il est né avec un tel handicap qu'avec un désir moins ardent de le vaincre, il n'aurait pu prétendre qu'à faire la quête ou à vendre de la pacotille dans les rues. Conjugués, la foi et un ardent désir ont un puissant pouvoir créateur. N'oublions pas qu'ils sont accessibles à tous les hommes.

Ce que le désir d'une chanteuse fit en sa faveur

Je lus un jour un entrefilet concernant madame Schumann-Heink qui expliquait indirectement sa réussite professionnelle. Je vous le livre parce que la clef de cette réussite n'est autre que le désir.

Au début de sa carrière, madame Schumann-Heink rendit visite au directeur de l'Opéra de Vienne lui demandant une audition. Le directeur s'y refusa toisant la jeune fille gauche et pauvrement vêtue. Il lui dit non sans dureté : « Comment osez-vous prétendre réussir à l'Opéra ? Regardez-vous ! Vous n'avez pas un physique de théâtre, ma pauvre enfant. Renoncez donc à votre projet et achetez une machine à coudre. Croyez-moi, *vous ne serez jamais cantatrice.* »

Jamais, c'est un long bail ! La technique du chant n'avait aucun secret pour le directeur de l'Opéra de Vienne, mais il ignorait le pouvoir du désir obsessionnel.

Il y a quelques années, un de mes associés tomba malade. Son état empira et il fut transporté d'urgence à l'hôpital pour y être opéré. Le médecin m'avertit qu'il avait très peu de chances de guérir. C'était là son opinion et non celle de son patient qui, étendu sur le chariot, me glissa à l'oreille : « Ne vous en faites pas, chef, je serai hors d'affaire dans quelques jours. » Il supporta bien l'opération et guérit en un temps record. Le médecin me dit alors : « Ce qui l'a sauvé, c'est uniquement son désir de vivre. Il a survécu parce qu'il a refusé l'éventualité de la mort. »

Je crois au pouvoir du désir conjugué avec la foi. Je l'ai vu élever des débutants aux places les plus importantes, leur donnant gloire et richesse ; je l'ai vu arracher des victimes à la tombe ; je l'ai vu déterminer un nouvel essai après cent défaites ; je l'ai vu donner à mon fils une vie normale, heureuse et réussie malgré son handicap initial.

Par un étrange et puissant processus de « chimie mentale » qu'elle ne nous a jamais dévoilé, Dame Nature a fait qu'un désir ardent abolit l'impossible et l'idée même de l'échec.

*Il est vrai que l'argent ne peut acheter
le bonheur, mais il vous permet de
profiter de ce que le monde a de
meilleur à offrir.*

George S. Clason

Vingt-huitième leçon
Comment ériger votre bien-être financier

Assoyez-vous et détendez-vous. Vous êtes sur le point d'apprendre, d'une manière unique, la méthode la plus efficace qui ait jamais été mise au point pour acquérir la richesse. Conservez cependant ce crayon ou cette plume à la main, parce qu'il y a beaucoup de choses que vous voudrez retenir de votre rencontre avec *l'homme le plus riche de Babylone.*

Pendant plusieurs années George S. Clason a écrit de courts récits qu'il appelait « Paraboles babyloniennes ». Il y révélait les secrets de la réussite de personnages de l'Antiquité, ainsi que la façon dont ceux-ci géraient leurs finances. Ces récits furent d'abord publiés sous forme de petits livres qui étaient distribués gratuitement aux clients de banques, de compagnies d'assurances et de firmes d'investissement. Ils devinrent éventuellement si populaires que monsieur Clason réunit ses récits favoris dans un livre intitulé *L'homme le plus riche de Babylone,* d'après le titre de sa parabole la plus célèbre. Ce livre a été acclamé comme l'un des meilleurs et des plus importants ouvrages portant sur l'épargne et la planification financière.

La prémisse de monsieur Clason était que l'argent est de nos jours soumis aux mêmes lois qu'à l'époque où des individus prospères sillonnaient les rues de Babylone, il y a six mille ans. « Babylone, disait-il, est devenue la cité la plus riche du vieux monde parce que ses citoyens étaient les gens les plus riches de leur époque. Ils connaissaient la valeur de l'argent. Ils se fondaient sur des principes financiers sains pour acquérir de l'argent, le conserver et le faire prospérer. Ils se constituaient ce que nous désirons tous, des revenus pour l'avenir. »

Cette leçon est constituée du texte intégral du récit le plus célèbre de monsieur Clason, *L'homme le plus riche de Babylone*. Il vous suggère un mode de vie qui vous a peut-être toujours semblé hors de votre portée...

Dans l'ancienne Babylone vivait un homme très riche nommé Arkad. Son immense fortune forçait l'admiration partout dans le monde. Il était aussi reconnu pour ses prodigalités. Il donnait généreusement aux pauvres. Il était généreux envers sa famille. Il dépensait beaucoup pour lui-même. Mais sa fortune s'accroissait plus rapidement qu'il ne pouvait la dépenser chaque année.

Un jour, des amis d'enfance vinrent le voir et lui dirent :

« Toi, Arkad, tu as plus de chance que nous. Tu es devenu l'homme le plus riche de tout Babylone, alors que nous luttons encore pour subsister. Tu peux porter les plus beaux vêtements et tu peux te régaler des mets les plus rares, tandis que nous devons nous contenter de vêtir nos familles de façon à peine convenable et de les nourrir du mieux que nous le pouvons.

« Mais pourtant, un jour, nous étions égaux. Nous avons étudié avec le même maître. Nous avons joué aux mêmes jeux. Tu ne nous a surpassés ni dans les jeux, ni dans les études. Et pendant toutes ces années, tu n'as pas été meilleur citoyen que nous.

« En autant que nous pouvons en juger, tu n'as pas non plus travaillé plus dur ni plus assidûment que nous. Pourquoi, alors, le sort capricieux te choisit-il pour profiter de toutes les bonnes choses de la vie et nous ignore-t-il, nous qui sommes également méritants ? »

Là-dessus, Arkad les réprimanda en disant : « Si vous n'avez pas acquis plus que de quoi vivre simplement depuis les années de votre jeunesse, c'est que vous avez omis d'apprendre les règles qui permettent d'accéder à la richesse, ou encore parce que vous ne les avez pas observées.

« La Destinée Capricieuse est une méchante déesse qui n'apporte de bien en permanence à personne. Au contraire, elle mène à la ruine presque tout homme sur lequel elle fait pleuvoir l'or acquis sans peine. Elle fait agir d'une façon déréglée les gaspilleurs irréfléchis qui dépensent tout ce qu'ils reçoivent, leur laissant seulement des appétits et des désirs si grands qu'ils n'ont plus la capacité de les combler. Pourtant, d'autres qu'elle favorise deviennent avares et amassent des biens, ayant peur de dépenser ce qu'ils ont, sachant qu'ils n'ont pas l'habileté de le remplacer. De plus, ils craignent d'être assaillis par les voleurs et se condamnent eux-mêmes à vivre une vie vide, seuls et misérables.

« Il y en a probablement d'autres qui peuvent prendre de l'or acquis sans peine, le faire fructifier et continuer quand même à être des hommes heureux et des citoyens satisfaits. Cependant, ils sont peu nombreux. Je ne les connais que par ouïe-dire. Pensez aux hommes qui ont hérité soudainement de fortunes et voyez si ces choses ne sont pas vraies. »

Ses amis croyaient que ces mots étaient véridiques, ayant connu des hommes qui avaient hérité de fortunes. Ils lui demandèrent de leur expliquer comment lui-même en était venu à être si prospère. Alors, il continua :

« Dans ma jeunesse, j'ai regardé autour de moi et j'ai vu toutes les bonnes choses qui pouvaient m'apporter le bonheur et la satisfaction et je me suis rendu compte que la richesse augmente le pouvoir de ces biens.

« La richesse est un pouvoir. La richesse rend beaucoup de choses possibles.

« Elle permet de meubler sa maison des plus beaux meubles.

« Elle permet de naviguer sur les mers lointaines.

« Elle permet de déguster les mets fins des pays lointains.

« Elle permet d'acheter des parures de l'orfèvre ou du joaillier.

« Elle permet même de construire des temples grandioses pour les dieux.

« Elle permet toutes ces choses et encore bien d'autres qui procurent un plaisir des sens et une satisfaction de l'âme.

« Lorsque j'ai compris tout cela, je me suis promis que j'aurais ma part des bonnes choses de la vie. Je ne serais pas un de ceux qui se tiennent à l'écart, regardant jalousement les autres jouir de leur fortune. Je ne me satisferais pas de vêtements moins chers qui ne seraient que respectables. Je ne me contenterais pas du lot d'un pauvre homme. Au contraire, je serais invité à ce banquet des bonnes choses.

« Étant, comme vous le savez, le fils d'un humble marchand et d'une famille nombreuse, je n'avais aucun espoir d'héritage et n'étais pas doué, comme vous me l'avez dit si franchement, de force et de sagesse ; alors, j'ai décidé que si je devais obtenir ce que je désirais, cela me demanderait du temps et de l'étude.

« Pour ce qui est du temps, tous les hommes en ont en abondance. Chacun de vous a laissé passer tout le temps qu'il faut pour s'enrichir.

« Pourtant, vous admettez que vous n'avez rien à montrer, à part vos bonnes familles dont vous avez raison d'être fiers.

« En ce qui concerne l'étude, notre sage professeur ne nous a-t-il pas enseigné qu'elle comprenait deux niveaux ? Les choses que nous avions apprises et que nous savions déjà ; et la formation qui nous montrait comment découvrir ce que nous ne savions pas.

« Alors, j'ai décidé de trouver comment on peut accumuler la richesse, et quand je l'ai trouvé, je me suis fait un devoir de le faire et de bien le faire. Car n'est-il pas sage de vouloir profiter de la vie pendant que nous demeurons à la lumière du soleil, puisque les malheurs s'abattront assez vite sur nous au moment de notre départ vers la noirceur du monde des esprits ?

« J'ai trouvé un emploi de scribe dans la salle des archives où pendant de longues heures chaque jour, je travaillais sur des tablettes d'argile, semaine après semaine et mois après mois ; cependant, de ce que je gagnais, il ne me restait plus rien. La nourriture, l'habillement et le dû aux dieux et d'autres choses dont je ne peux me souvenir absorbaient tous mes bénéfices. Mais j'étais toujours déterminé.

« Et un jour, Algamish, le prêteur d'argent, vint à la maison du maître de la ville et commanda une copie de la neuvième loi. Il me dit : Je dois avoir cela en ma possession dans deux jours ; si le travail est prêt à temps, je te donnerai deux pièces de cuivre.

« Alors, j'ai travaillé dur, mais la loi était longue et quand Algamish revint, le travail n'était pas terminé. Il était fâché et, si j'avais été son esclave, il m'aurait battu. Mais, sachant que le maître de la ville ne lui aurait pas permis de me frapper, je n'avais pas peur ; alors je lui ai dit : Algamish, vous êtes un homme riche. Dites-moi comment je peux devenir riche et je travaillerai toute la nuit à graver l'argile de sorte que quand le soleil se lèvera, la loi sera écrite.

« Il me sourit et répondit : Tu es un petit futé mais c'est un marché conclu.

« Alors, toute la nuit, j'ai gravé, bien que j'avais mal au dos et que la mauvaise odeur de la lampe me donnait mal à la tête, jusqu'à ce que je ne puisse presque plus voir. Mais quand Algamish revint au lever du soleil, les tablettes étaient finies.

« Maintenant, dis-je, honorez votre promesse.

« Tu as accompli ta partie du marché, mon fils, me dit-il avec bonté, et je suis prêt à remplir la mienne. Je te dirai les choses que tu désires savoir parce que je deviens un vieil homme et que les vieilles langues aiment à parler. Et lorsqu'un jeune va vers une personne âgée pour recevoir un conseil, il puise à la sagesse de l'expérience. Trop souvent les jeunes croient que les gens âgés ne connaissent que la sagesse des temps passés et alors, ils n'en profitent pas. Mais souviens-toi de ceci : Le soleil qui brille aujourd'hui est le même soleil qui brillait quand ton père est né et le même qui brillera encore quand le dernier de tes petits-fils mourra.

« Les pensées des jeunes, continua-t-il, sont des lumières brillantes qui scintillent comme des météores illuminant le ciel ; mais la sagesse de l'homme âgé est comme les étoiles fixes qui resplendissent toujours de la même façon, si bien que le marin peut se fier à elles.

« Retiens bien ces paroles si tu veux saisir la vérité de ce que je vais te dire et ne pas penser que tu as travaillé en vain pendant toute la nuit.

« Alors, il me regarda finement d'en dessous de ses sourcils touffus et dit à voix fasse, mais avec fermeté : J'ai trouvé le chemin de la richesse quand j'ai décidé qu'*une partie de tout ce que je gagnais devait m'appartenir*. Il en sera ainsi pour toi.

« Alors, il continua à me regarder et son regard me transperçait, mais il n'ajouta rien.

« C'est tout ? demandai-je.

« Ce fut suffisant pour changer un berger en un prêteur d'argent, répondit-il.

« Mais *tout* ce que je gagne, je peux le garder, n'est-ce pas ? lui demandai-je.

« Loin de là, répondit-il. Ne paies-tu pas le couturier ? Ne paies-tu pas le sandalier ? Ne paies-tu pas pour ce que tu manges ? Peux-tu vivre dans la ville de Babylone sans dépenser ? Que te reste-t-il de ce que tu as gagné au cours du mois passé ? Et de l'année passée ? Idiot ! Tu paies tout le monde sauf toi. Nigaud, tu travailles pour les autres. Aussi bien être un esclave et travailler pour ton maître, qui te donne ce qu'il te faut pour manger et te vêtir.

« Si tu gardais un dixième de ce que tu gagnes, combien aurais-tu dans dix ans ?

« Mes connaissances en calcul me permirent de répondre : Autant que je gagne durant une année.

« Il rétorqua : Tu dis une demi-vérité. Chaque pièce d'or que tu épargnes est un esclave qui travaille pour toi. Chaque petite pièce de monnaie qu'elle te rapporte en engendre d'autres qui travaillent aussi pour toi. Si tu devenais riche, tes épargnes devraient faire des petits et ces petits te rapporter ! Tout cela ensemble t'aiderait à acquérir l'abondance dont tu es avide.

« Tu penses que je te paie mal ta longue nuit de travail, continua-t-il, mais en fait je te paie mille fois plus ; il suffit seulement que tu aies l'intelligence de saisir la vérité que je te présente.

« Une partie de tout ce que tu gagnes est à toi et tu peux la garder. Ça ne doit pas être moins qu'un dixième, quel que soit le montant que tu gagnes. Cela peut être beaucoup plus quand tu pourras te le permettre. Paie-toi d'abord. N'achète pas plus du couturier et du sandalier que ce que tu peux payer avec ce qu'il te reste, de manière à en avoir assez pour la nourriture, la charité et la redevance aux dieux.

« La richesse, comme l'arbre, pousse à partir d'une graine. La première pièce de cuivre que tu épargnes est la graine qui fera pousser l'arbre de ta richesse. Plus vite tu sèmeras la graine, plus vite l'arbre poussera. Le plus fidèlement tu nourriras et arroseras cet arbre avec des épargnes raisonnables, le plus vite tu te rafraîchiras, satisfait de son ombre.

« Ayant dit cela, il prit ses tablettes et partit.

« J'ai beaucoup pensé à ce qu'il m'avait dit et cela me semblait raisonnable. Alors, j'ai décidé que j'allais l'essayer. Chaque fois que j'étais payé, je prenais une pièce de cuivre sur dix et je la cachais. Et aussi étrange que cela puisse paraître, il ne me manquait pas plus d'argent qu'avant. Je ne m'en suis pratiquement pas aperçu. Mais j'étais souvent tenté, puisque mon trésor commençait à grossir, de le dépenser pour quelques bonnes choses que les marchands étalaient, choses apportées par les chameaux et les bateaux du pays des Phéniciens. Mais je me retenais sagement.

« Le douzième mois après le départ d'Algamish, celui-ci revint et me dit : Fils, t'es-tu payé au moins un dixième de tout ce que tu as gagné cette année ?

« Je répondis fièrement : Oui, maître.

« C'est bien, répondit-il, ravi. Et qu'est-ce que tu en as fait ?

« Je l'ai donné à Azmur, le fabricant de briques. Il m'a dit qu'il allait voyager sur les mers lointaines et qu'il m'achèterait des bijoux rares des Phéniciens, à Tyre. À son retour, nous vendrons ceux-ci à prix élevé et partagerons les profits.

« Tout fou doit apprendre, grommela-t-il. Comment as-tu pu faire confiance au savoir d'un fabricant de briques en ce qui concerne les bijoux ? Irais-tu voir le boulanger pour le questionner au sujet des étoiles ? Non, parbleu, tu irais voir un astronome, si tu es capable de réfléchir. Tes économies sont parties, mon jeune ami ; tu as coupé ton arbre de la richesse à ses racines. Mais sèmes-en un autre. Essaie encore une fois. Et la prochaine fois, si tu veux avoir un conseil au sujet de bijoux, va voir un marchand de bijoux. Si tu veux savoir la vérité au sujet des moutons, va voir le berger. Le conseil est une chose qui est donnée gratuitement, mais prends seulement ce qui est valable. Celui qui demande conseil concernant ses épargnes à quelqu'un sans expérience en la matière devra payer de ses économies pour prouver la fausseté des conseils. Sur ces mots, il repartit.

« Et ce fut comme il avait dit. Car les Phéniciens étaient des canailles, et ils avaient vendu à Azmur des morceaux de verre sans valeur qui ressemblaient à des pierres précieuses. Mais comme Algamish m'avait dit, j'ai épargné de nouveau chaque dixième pièce de cuivre gagnée, car j'en avais maintenant pris l'habitude et ce n'était plus difficile.

« Douze mois plus tard, Algamish vint encore à la salle des scribes et s'adressa à moi : Quel progrès as-tu réalisé depuis que je t'ai vu ?

« Je me suis payé fidèlement, répliquai-je, et mes épargnes, je les ai confiées à Agger, le fabricant de boucliers, pour qu'il achète du bronze et à tous les quatre mois, il me paie l'intérêt.

« C'est bien. Et que fais-tu avec l'intérêt ?

« Je me paie un grand festin avec du miel, du bon vin et du gâteau aux épices. Je me suis aussi acheté une tunique écarlate. Et un jour, je m'achèterai un jeune âne pour me promener.

« Ce à quoi Algamish rit. Tu manges les petits de tes économies. Alors, comment peux-tu t'attendre à ce qu'ils travaillent pour toi ? Et comment peuvent-ils faire des petits à leur tour qui travailleront aussi pour toi ? D'abord, procure-toi une armée d'esclaves en or, et alors tu pourras jouir de plusieurs banquets sans regret.

« Puis, il s'éloigna une fois de plus, pendant deux ans. Quand un jour il revint, sa figure était couverte de rides et ses paupières s'affaissaient, car il devenait un vieil homme. Et il me dit : Arkad, es-tu déjà riche comme tu en rêvais ?

« Et je répondis : Non, je ne possède pas encore tout ce que je désire, mais une partie, et je réalise des profits qui, à leur tour, se multiplient.

« Et prends-tu toujours l'avis des fabricants de briques ?

« Concernant la façon de fabriquer les briques, ils donnent de bons conseils, rétorquai-je.

« Arkad, poursuivit-il, tu as bien appris ta leçon. Tu as d'abord appris à vivre avec moins que ce que tu pouvais gagner. Ensuite, tu as appris à demander l'avis de ceux qui sont compétents par l'expérience qu'ils ont acquise et qui sont prêts à la partager. Et finalement, tu as appris à faire travailler l'or pour toi.

« Tu as appris par toi-même la manière d'acquérir de l'argent, de le garder et de l'utiliser. Donc, tu es compétent et tu es prêt à assumer un poste responsable. Je deviens un vieil homme. Mes fils pensent seulement à dépenser et ne pensent jamais à gagner. Mes intérêts sont grands. Et j'ai peur de n'être plus capable d'en prendre soin. Si tu veux aller à Nippur t'occuper de mes terres là-bas, je ferai de toi mon partenaire et tu partageras mes biens.

« Alors, je suis allé à Nippur et j'ai pris la charge de ses biens qui étaient importants. Et parce que j'étais plein d'ambitions et que j'avais maîtrisé avec succès les trois règles de gestion de la richesse, je fus capable d'augmenter de beaucoup la valeur de ses biens. Alors, comme j'avais beaucoup prospéré, quand l'esprit d'Algamish partit pour la sphère de la noirceur, j'eus droit à une part de ses biens comme il l'avait convenu, conformément à la loi. »

Ainsi parla Arkad, et quand il eut fini de raconter son histoire, un de ses amis dit : « Tu as vraiment eu de la chance qu'Almamish fasse de toi son héritier. »

« J'ai eu de la chance seulement en ce que j'avais le désir de prospérer avant de le rencontrer. N'ai-je pas prouvé durant quatre ans ma détermination en gardant le dixième de tout ce que je gagnais ? Qualifierais-tu de chanceux un pêcheur qui a passé de longues années à étudier le comportement des poissons et qui parvient à les cerner grâce à un changement de vent, en lançant ses filets autour d'eux juste au bon moment ? L'occasion est une arrogante déesse qui ne perd pas de temps avec ceux qui ne sont pas prêts. »

« Tu as fait preuve de beaucoup de volonté pour continuer après avoir perdu les économies de ta première année. Tu es extraordinaire en ce sens ! » s'écria un autre.

« Volonté ! rétorqua Arkad. Quelle absurdité ! Pensez-vous que la volonté donne à un homme la force de lever un fardeau qu'un chameau ne peut pas transporter, ou de tirer une charge qu'un bœuf ne peut pas déplacer ? La volonté n'est rien d'autre que la détermination inflexible de mener à bien le travail que l'on s'est soi-même imposé.

« Lorsque je m'impose un travail, si petit soit-il, je le fais jusqu'au bout. Autrement, comment pourrais-je avoir confiance en moi pour faire des choses importantes ? Si je me dis : Pendant cent jours, lorsque je marcherai sur le pont qui mène à la ville, je ramasserai une pierre et la lancerai dans le ruisseau, je le ferai. Si, au septième jour, je passe sans m'en souvenir, je ne me dirai pas : Demain, je lancerai deux pierres et ce sera aussi bien. À la place, je reviendrai sur mes pas et je lancerai la pierre. Le vingtième jour, je ne me dirai pas non plus : Arkad, ceci est inutile. À quoi cela te sert-il de lancer une pierre tous les jours ? Lances-en une poignée et tu en auras fini de tout cela. Non, je ne dirai pas cela et je ne le ferai pas non plus. Quand je m'impose un travail, je le fais. Donc, je prends soin de ne pas commencer des travaux difficiles ou impossibles parce que j'aime avoir du temps libre. »

Et alors, un autre ami éleva la voix et dit : « Si ce que tu dis est vrai et si cela semble, comme tu l'as dit, raisonnable, alors tous les hommes pourraient le faire, et s'ils le faisaient, il n'y aurait pas assez de richesses pour tout le monde. »

« La richesse s'accroît chaque fois que les hommes dépensent leur énergie, répondit Arkad. Si un homme riche se construit un nouveau palais, l'or qu'il paie est-il perdu ? Non, le fabricant de briques en a une part, et le travailleur en a sa part, et l'artiste en a sa part aussi. Et tous ceux qui travaillent à la construction de la maison ont leur part. Cependant, quand le palais est complété, n'a-t-il pas la valeur de ce qu'il coûte ? Et le sol sur lequel il est construit n'acquiert-il pas plus de valeur parce qu'il est là ? Les terrains avoisinants ne prennent-ils pas plus de valeur eux aussi ? La richesse s'accroît de façon magique. Aucun homme ne peut prédire sa limite. Les Phéniciens n'ont-ils pas construit de grandes cités sur des côtes arides grâce aux richesses rapportées sur leurs bateaux marchands ? »

« Alors, qu'est-ce que tu nous conseilles de faire pour que nous aussi nous devenions riches ? demanda un autre de ses amis. Les années ont passé, nous ne sommes plus jeunes et nous n'avons rien à mettre de côté. »

« Je vous conseille d'appliquer les principes de sagesse d'Algamish ; et dites-vous : *Une partie de tout ce que je gagne me revient, et je dois la garder*. Dites-le dès votre lever, le matin. Dites-le à midi. Dites-le durant la soirée. Dites-le chaque heure de la journée. Répétez-le jusqu'à ce que les mots se détachent comme des lettres de feu dans le ciel.

« Imprégnez-vous de cette idée. Remplissez-vous de cette pensée. Puis, prenez seulement la portion qui semble sage. Que cela ne soit pas moins d'un dixième de votre revenu, et mettez-le de côté. Réglez vos dépenses en conséquence. Mettez d'abord cette part de côté. Bientôt, vous connaîtrez l'agréable sensation de posséder un trésor auquel vous seuls avez droit. À mesure qu'il s'accroîtra il vous stimulera. Une nouvelle joie de vivre vous animera. De plus grands efforts vous rapporteront davantage. Les bénéfices s'accroissant, le pourcentage demeurant le même, vos profits augmenteront, n'est-ce pas ?

« Quand vous en serez là, apprenez à faire travailler votre trésor pour vous. Faites de lui votre esclave. Faites que ses enfants et les enfants de ses enfants travaillent pour vous.

« Assurez-vous un revenu pour l'avenir. Regardez les gens âgés et n'oubliez pas que dans les jours à venir vous serez du nombre. Alors, investissez votre trésor avec la plus grande prudence, pour ne pas le perdre.

« Les taux usuraires sont des sirènes aux chants irrésistibles qui attirent l'imprudent sur les rocs de la perte et du remords.

« Voyez aussi à ce que votre famille ne soit pas dans le besoin si les dieux vous rappelaient dans leur royaume. Pour avoir une telle protection, il est toujours possible de verser de petits montants à intervalles réguliers. L'homme prévoyant n'attend pas de recevoir une grosse somme avant d'y voir.

« Consultez les hommes sages. Recherchez l'avis des hommes qui, chaque jour, manipulent l'argent. Laissez-les vous sauver d'une erreur telle que moi-même j'ai faite en confiant mon argent au jugement d'Azmur, le fabricant de briques. Un petit intérêt sûr est de beaucoup préférable à un grand risque.

« Profitez de la vie pendant que vous êtes ici-bas. Ne vous restreignez pas trop et n'essayez pas de trop épargner. Si un dixième de tout ce que vous gagnez constitue la somme raisonnable que vous pouvez garder, soyez satisfaits de cette portion. À part cela, vivez selon votre revenu et ne vous permettez pas de devenir grippe-sous et d'avoir peur de dépenser. La vie est bonne et remplie de choses valables dont vous pouvez jouir. »

Sur ces paroles, ses amis le remercièrent et partirent. Certains étaient silencieux parce qu'ils n'avaient pas d'imagination et ne pouvaient pas comprendre. Certains étaient rancuniers parce qu'ils pensaient que quelqu'un d'aussi riche aurait dû partager avec ses vieux amis moins fortunés. Mais quelques-uns avaient une lueur nouvelle dans les yeux. Ils comprenaient qu'Algamish était revenu dans la salle des scribes pour regarder attentivement un homme qui traçait son chemin vers la lumière. Une fois que cet homme aurait trouvé la lumière, une place l'attendrait. Personne ne pouvait occuper cette place avant d'être parvenu à bien comprendre par soi-même et d'être prêt à saisir l'occasion qui s'offrait.

Ces derniers furent ceux qui, dans les années suivantes, visitèrent fréquemment Arkad, qui les reçut avec joie. Il les conseilla et leur donna gratuitement sa sagesse comme les hommes de grande expérience sont toujours contents de le faire. Et il les aida à investir leurs économies de façon à ce qu'elles rapportent un intérêt sûr et ne soient pas gaspillées dans de mauvais investissements ne rapportant aucun dividende.

Le jour où ils prirent conscience de la vérité qui leur avait été transmise d'Algamish à Arkad et d'Arkad à eux, fut un point tournant dans leur vie.

UNE PARTIE DE TOUT CE QUE
VOUS GAGNEZ VOUS REVIENT ;
CONSERVEZ-LA.

*Trois courtes règles qui peuvent
vous aider à devenir aussi important que
vous le désirez.*

Cavett Robert

Vingt-neuvième leçon
Comment attirer le succès

Dans le cadre des vingt-huit dernières leçons, vous avez acquis plus de renseignements détaillés sur la réalisation de soi que l'individu moyen n'en acquiert durant toute sa vie.

Mais ces leçons ne constituent que des échelons de votre nouvelle échelle de succès. Vous, vous seul pouvez gravir tous les échelons, à force de patience, de désir, de courage et de travail ardu.

Lisez ce que déclare Cavett Robert, le meilleur conseiller en motivation d'Amérique :

Nous avons lu si souvent l'expression « gravir les échelons du succès » que sa simplicité nous a fait oublier sa signication. Nous savons qu'une échelle n'est qu'un outil, un instrument nous permettant d'accéder quelque part. De même, un emploi n'est qu'un outil nous permettant d'atteindre nos buts dans la vie. Examinons l'importance du symbole que représente une échelle.

Premièrement, l'échelle est destinée à une utilisation verticale, et non horizontale. On ne l'utiliser que pour monter quelque part. De même, on ne peut gravir une échelle qu'en franchissant un échelon à la fois. De la même façon que les gens n'obtiennent pas un succès instantané mais progressif, l'échelle permet une ascension progressive. Nous nous servons de chaque échelon pour accéder à l'échelon supérieur. Si nous tentons de sauter un échelon, le désastre est imminent.

La similitude la plus importante entre un emploi et une échelle est sans doute le fait qu'il faut faire des efforts dans les deux cas pour progresser. Ce ne sont pas tous les gens qui sont prêts à faire le sacrifice de leurs efforts pour atteindre le sommet de l'échelle, mais je ne peux imaginer personne qui ait assez peu d'ambition pour refuser de s'élever suffisamment pour échapper à l'encombrement du bas.

À partir de son célèbre ouvrage intitulé *Obtenez des résultats positifs grâce à votre connaissance du comportement humain*, monsieur Robert vous apprendra ce que vous devez faire pour faire face avec fierté à votre nouvelle échelle...

Il m'a été donné, en 1935, un privilège que je ne suis pas prêt d'oublier. J'avais été invité à un déjeuner où Will Rogers devait prendre la parole. J'étais évidemment rempli de joie mais ce n'est que plus tard que j'appréciai toute ma chance. En effet, dans les semaines qui suivirent, Will Rogers et Wiley Post commencèrent leur voyage en avion autour du monde, voyage qui devait se terminer tragiquement, en Alaska.

Monsieur Rogers n'avait pas le poli culturel ou académique des pronostiqueurs économiques de son temps, mais il a donné ce jour-là l'un des conseils les plus avisés qu'il m'ait été donné d'entendre.

J'ai lu bien des livres sur la réussite. J'ai écouté des douzaines et des douzaines de disques sur le sujet. Malgré tout, je ne crois pas qu'il existe une formule plus sûre ou un secret plus efficace que celui de Will Rogers.

« Pour réussir, disait-il, rien de plus simple. Soyez compétent. Aimez votre travail. Et croyez-y ! Voilà. C'est aussi simple que ça ! »

Examinons ces trois points attentivement.

Soyez compétent

D'abord et avant tout : Soyez compétent car rien ne peut remplacer la compétence.

L'être humain n'a jamais fini d'apprendre, car la connaissance ne connaît jamais de fin. Elle n'est jamais statique. Celui qui veut se tenir à la page doit apprendre sans cesse. Les centres de recherche en économie affirment qu'à cause des changements rapides qui marquent notre économie, l'individu moyen engagé dans une activité ou une autre doit réapprendre son métier au moins quatre fois durant sa vie.

Songez seulement que les théories qui, hier encore, étaient reconnues pour vraies ou même plausibles sont remises en question aujourd'hui et seront peut-être fausses demain. C'est comme si, dans une pièce de théâtre, dès que les répétitions pour le rôle qu'on nous avait d'abord assigné viennent de se terminer, on nous demandait de jouer un nouveau rôle au pied levé. J'admets que cela est très frustrant, mais la vie continue implacablement, avec nous ou sans nous.

Les connaissances s'accumulent si vite et les méthodes de travail changent à une telle allure que nous sommes forcés de courir si nous ne voulons pas être dépassés.

Jusqu'en 1900, on nous disait que les connaissances doublaient à chaque siècle. À la fin de la deuxième guerre mondiale, le phénomène était ramené à la fréquence de tous les vingt-cinq ans. Aujourd'hui, tous les centres de recherche affirment que les connaissances de l'homme doublent tous les cinq ans. En présence de telles statistiques, qui peut prétendre pouvoir survivre s'il n'est pas engagé dans un programme de formation permanente?

Le véritable succès

Le constant besoin d'adaptation pose à l'homme d'aujourd'hui un défi qui n'a jamais existé auparavant. Les études ne sont plus seulement une période préparatoire à la vie que l'on range dans un tiroir après quelques années pour ne plus jamais le rouvrir. La notion de réussite, elle aussi, a changé. Elle pourrait être définie maintenant comme le processus continu dans lequel doit s'engager l'individu qui veut s'adapter au changement dynamique du système économique dans lequel il vit. Oui, aujourd'hui, la réussite est plus une faculté d'adaptation qu'une destination.

De plus, dans ce voyage au long cours, nous ne pouvons pas faire marche arrière; il faut sans cesse avancer vers le but préalablement fixé. Même le but peut changer; d'ailleurs, les buts rigides et inchangeables ne risquent-ils pas de limiter notre croissance, de nous figer à un certain stade de notre développement? Restons souples et ne cessons pas de croître, car qui n'avance pas recule.

Changements indéfinis

Ce qui surprend peut-être le plus un enfant qui voyage sur une route, c'est de constater qu'il ne peut jamais apercevoir la fin de l'horizon. Il en va de même aujourd'hui du changement: impossible d'en voir la fin. Par conséquent, avons-nous d'autre choix que de chercher à nous adapter à la situation et d'accepter que tous nos rêves ne se réalisent pas ? S'il en était autrement, nous pourrions conclure de certains rêves qu'ils n'étaient pas très ambitieux.

Non, la vie n'est pas un séjour au paradis terrestre. Notre pélerinage ici-bas est jonché d'obstacles et parsemé de sacrifices. La seule promesse qui est faite à ceux qui auront le courage de prendre la route est la suivante : C'est le combat lui-même qui les rendra forts et qui leur permettra de s'adapter au changement.

Même si l'on est bien préparé pour affronter la vie, c'est se faire illusion que de penser qu'on n'aura plus jamais besoin d'étudier. Non, la vie moderne est un perpétuel combat dont les règles ne sont, hélas, plus celles du Moyen Age.

Rien au monde ne surpasse la puissance d'une idée qui arrive en son temps : Cette affirmation bien connue nous amène à penser que les idées et, par conséquent, les connaissances, pour être à jour, ne doivent pas rester toujours les mêmes.

Nous voyons bien que nous devons d'abord et avant tout adhérer au principe selon lequel, pour être bien de notre temps, nous sommes forcés de nous engager dans un programme suivi de formation qui nous mènera sans cesse vers de nouveaux champs de connaissances.

L'ère de la spécialisation

À cause de la rapidité avec laquelle les connaissances s'accumulent aujourd'hui, il devient de plus en plus important de se spécialiser dans une branche donnée. Personne ne peut y échapper. Sans perdre de vue les connaissances qui appartiennent à un domaine plus fondamental et plus vaste, il faut à tout prix connaître en profondeur au moins un aspect de sa branche d'activité.

Évidemment, cette situation ne va pas sans en frustrer plusieurs, comme cet individu qui déclarait : « Comme il faut connaître de plus en plus de choses sur de moins en moins de sujets, cela signifie aussi que nous en connaissons de moins en moins sur de plus en plus de sujets ; très bientôt, nous connaîtrons tout sur rien et rien sur tout ! »

On n'est jamais trop spécialisé

L'autre jour, j'entendis un homme dire à son ami : « Tu sais, la spécialisation est tellement poussée aujourd'hui que la compagnie Nabisco Brands a même un vice-président responsable uniquement des biscuits aux figues. »

« Je ne te crois pas », lui répondit son ami.

« Mais oui, je te jure. »

Nos deux amis décidèrent d'appeler la compagnie : « Allô ! Oui, je voudrais parler au vice-président responsable des biscuits aux figues. »

La voix au bout du fil demanda : « Des biscuits en paquets ou en vrac ?... »

Le président de l'une des plus grandes compagnies de caoutchouc prononçait récemment un discours à la fin duquel l'assistance fut invitée à poser des questions. Un jeune homme assis en avant lui demanda : « Serait-ce indiscret de vous demander comment vous êtes devenu président de cette grande compagnie ? »

« Pas du tout, répondit le conférencier. Je travaillais dans une station-service et je n'avançais à rien. Un jour, je lus quelque part que si quelqu'un voulait progresser, il devait tout connaître concernant son travail.

« Alors, durant mes vacances, je retournai au siège social et j'y observai comment on fabriquait les pneus de caoutchouc. Durant une autre période de vacances, je me rendis en Afrique pour voir comment on plantait les arbres à caoutchouc et comment on faisait l'extraction du latex.

« Ainsi, lorsque je parlais de nos produits, je ne disais pas : C'est ce qu'on me dit, ou : C'est ce que j'ai lu, ou encore : Voici ce que je pense, mais : Je sais ce que je vous dis. Je suis allé voir sur place. J'ai vu mettre les cordes de nylon dans le caoutchouc par ceux qui fabriquent le meilleur pneu qui soit, un pneu garanti contre les crevaisons. J'ai vu comment on fait l'extraction du latex, qui entre dans la fabrication du meilleur pneu au monde.

« Croyez-moi, aucune voix n'est aussi convaincante que celle d'une personne qui connaît son métier et qui a pour elle la confiance et l'expérience. »

Oui, un homme averti et sûr de lui parle avec autorité et fait son chemin dans la vie.

Une seule richesse ici-bas

Abraham Lincoln disait : « En vieillissant, je me rends compte qu'il n'y a ici-bas qu'une seule richesse, qu'une seule sécurité, et c'est la faculté de produire un travail bien fait. Celui qui veut en arriver là doit commencer par acquérir des connaissances. »

Il ne suffit pas d'avoir un petit peu de connaissances. Il faut avoir tout le bagage nécessaire pour réussir à analyser une situation rapidement et prendre aussitôt une décision.

À la fin d'une importante joute de football, le mauvais signal d'un quart-arrière donna lieu à une mauvaise passe qui fut interceptée et qui permit à l'équipe adverse de remporter le championnat. Cela se passa un samedi. Le mardi suivant, le joueur responsable de cette erreur sortit pour aller au salon de coiffure.

Rompant un long silence, le coiffeur lui dit : « Depuis samedi que je n'arrête pas de penser à votre erreur et, vous savez, si j'avais été à votre place, je n'aurais pas demandé le ballon. »

Froidement, le quart-arrière répondit au coiffeur : « Moi non plus... si j'avais eu jusqu'à aujourd'hui pour y penser ! »

Souvent, dans notre monde dominé par la forte concurrence et la croissance économique rapide, on n'a pas le temps de mûrir ses décisions et de peser chaque situation autant qu'on le voudrait.

Néanmoins, il ne faut pas se contenter de connaissances superficielles. Sans compter que, si on essaie de compenser notre manque de formation par des trucs et des tours de passe-passe, on s'aperçoit vite qu'on tourne en rond.

J'ai beaucoup de pitié pour les gens qui essaient de masquer leur ignorance en mettant trop leur personnalité en vedette ou encore en cherchant à tirer les bonnes ficelles.

Souvenons-nous du conseil avisé de Will Rogers : « Pour réussir, soyez compétent. »

Aimez votre travail

Comme nous l'avons mentionné plus haut, le savoir est important mais il n'est pas à lui seul une garantie de réussite dans notre société, car l'être humain n'a pas qu'une intelligence, c'est bien connu !

Mais quel était donc le deuxième conseil de Will Rogers ?

« Aimez votre travail. »

Pourquoi travaillez-vous ? Aimez-vous votre travail ou bien travaillez-vous seulement pour l'argent ? Si c'est seulement pour l'argent, pas étonnant que vous réclamiez toujours plus, même si vous êtes bien payé. Et encore là, vous ne serez jamais satisfait; vous passerez sans doute votre vie entière à vous plaindre de votre sort.

Non, celui qui n'aime pas son travail n'est pas heureux. Et s'il n'est pas heureux, il passe son temps à grogner et à critiquer tout le monde. Demandez-lui comment ça va et il vous répondra: « J'ai fait une vente, lundi. Mardi, rien. Mercredi, j'ai perdu ma vente de lundi. Alors, ma meilleure journée, c'est mardi... »

Récemment, je me trouvais à Boston pour un congrès. L'hôtel où j'étais descendu me demanda de partir après deux jours, alors que je croyais avoir réservé pour trois jours.

En descendant, l'ascenseur s'arrêta au septième étage. Les portes s'ouvrirent, mais comme personne n'entrait, je devins impatient parce que je pensais à l'heure du départ de mon avion.

« Entrez », dis-je à haute voix.

Aucune réponse.

Je répétai, plus fort cette fois: « Alors, ça vient? »

Encore rien.

Finalement je criai presque: « Allons, entrez. Je vais être en retard! »

C'est alors qu'un monsieur bien mis et portant une canne blanche entra dans l'ascenseur avec précaution.

Inutile de dire que j'avais très honte de moi. Me sentant forcé de dire quelque chose, je toussai légèrement et je demandai au monsieur: « Comment allez-vous? »

Il esquissa un long sourire avant de me dire: « Très bien, mon ami! »

Je restai bouche bée. Et du même coup s'évanouirent mon impatience et mon inquiétude.

Moi, avec deux yeux, je m'attristais d'un léger retard dans mon horaire, tandis que lui, aveugle, irradiait la joie de vivre.

Peu m'importait maintenant d'arriver à temps ou non pour attraper mon avion. Ce soir-là, je priai pour qu'un jour je puisse voir aussi clair que cet aveugle !

Chaque matin, en nous levant, nous devrions être si reconnaissants d'être encore en vie que ça devrait se refléter sur l'humeur de toute notre journée.

Attention aussi de ne pas critiquer les gens. Après tout, même avec les pires défauts, on peut toujours trouver à quelqu'un au moins une qualité. L'autre jour, j'entendis deux personnes parler d'une troisième et tout à coup quelqu'un dire à mi-voix : « Mais ce gars-là est un alcoolique ! » Ce à quoi on lui répondit : « Au moins, il ne lâche pas, lui ! »

Soyons indulgents envers les personnes que nous côtoyons et essayons de voir les choses du bon côté. Will Rogers avait la réputation de ne jamais critiquer. Parce que Will Rogers n'a jamais rencontré une personne qu'il n'aimait pas.

Croyez à ce que vous faites

Will Rogers disait : « Soyez compétent et aimez votre travail. »

Mais il ne s'est pas arrêté là : « Et croyez-y ! »

Un homme dont l'anniversaire approchait appela un de ses amis pour l'inviter à sa fête : « Jacques, j'ai organisé une petite fête pour demain soir et je t'y invite. Comme se sera sans cérémonies, ne prends pas la peine de te changer. Tu pourras peser sur la sonnette avec ton coude et entrer ensuite. »

Au bout du fil, son ami lui demande : « Merveilleux ! Mais pourquoi sonner avec mon coude ? »

« Jacques, c'est mon anniversaire ! J'espère que tu n'arriveras pas les mains vides ! »

Je ne veux pas que vous ayez les mains vides, vous non plus. Si mes anecdotes vous amusent, si vous vous sentez ému ou stimulé, c'est bien, mais ce n'est pas encore assez.

Le plus grand argument

Pour que vous ne repartiez pas les mains vides, je vais vous livrer le plus grand des principes touchant la persuasion. Même si vous oubliez tout le reste, souvenez-vous toujours de ce principe car il n'y en a pas de plus grand :

Les gens sont plus impressionnés par la profondeur de notre conviction que par le brio de nos raisonnements ; plus par notre enthousiasme que par les preuves que nous leur servons.

Si je devais définir l'art de la persuasion en une seule phrase, voici ce qu'elle serait : Persuader quelqu'un, c'est le convertir non pas à notre façon de penser mais à notre façon de sentir les choses et d'y croire. Et si votre foi en vous-même est sincère et profonde, votre approche sera positive et irrésistible.

Celui qui croit obstinément à un produit, à une idée ou à un service convainc aisément son interlocuteur. C'est d'ailleurs ce degré de foi qui a animé les grands hommes à travers les âges : Ils croyaient à ce qu'ils faisaient. Si nous devions choisir une seule qualité qui nous aide, comme un phare, à reconnaître notre route dans la tempête de la vie, nous devrions choisir la conviction.

On dit que les mots sont les doigts qui moulent la pensée de l'homme. Or, les mots ne peuvent pas toujours convaincre, tandis que rien ne peut faire obstacle à l'attitude positive qui jaillit d'une foi sincère.

Croyez-y vous-même d'abord

J'ai déjà entendu les gens demander : « Croyez-vous à la clairvoyance, à la télépathie ou encore à la prophétie ? » ou encore, « C'est curieux : Dès que je suis entré chez cette personne, j'était certain qu'elle accepterait mon idée ! Croyez-vous que ça pouvait être un cas de transmission de pensée ? »

La réponse est très simple : Celui qui présentait la nouvelle idée en était tellement convaincu que son pouvoir de persuasion était presque hypnotique.

Par ailleurs, j'ai déjà entendu un son de cloche tout différent : « Je ne m'explique pas cela, mais j'étais persuadé que ce gars-là n'accepterait pas mon idée, même avant que je n'ouvre la bouche. »

Il n'y a rien d'étonnant à cela : Celui qui présentait cette idée n'y croyait pas lui-même et tout chez lui le laissait voir. Comment il n'était pas emballé par cette idée-là, il transmettait son manque d'enthousiasme à tous ceux à qui il parlait.

Je le répète : Le monde est un miroir qui renvoie à chacun l'image de ses pensées, de ses convictions et de son enthousiasme.

J'ai, chez moi, un tableau peint par un de mes amis et qui représente un vieux clochard assis sur le banc d'un parc. Il a les souliers percés, des trous aux genoux et la barbe longue. Il a les cheveux en broussaille et un brin de foin dans la bouche. Devant lui passe une Rolls Royce avec chauffeur, dans laquelle est assis un homme portant un grand chapeau de soie.

« Voilà mon auto, dit le clochard, sur un ton résigné, sauf que ce n'est pas moi qui suis dedans... »

Libérez-vous de la médiocrité

Les seules menottes qui nous empêchent de réaliser les rêves de notre vie sont celles que nous forgeons nous-mêmes avec nos doutes et nos hésitations dans nos paroles et dans nos gestes.

Will Rogers, que Dieu ait son âme !, disait : « *Soyez compétent ! Aimez votre travail ! Et croyez-y !* »

Dites-moi : Existe-t-il meilleure règle de vie ? Moi, je n'en connais pas ! Croyez-moi : Si vous la mettez en pratique, vous êtes certain de réussir !

À la longue, la qualité de votre travail constitue le facteur décisif de la valeur qu'accorde le monde à vos services.

Orison Swett Marden

Trentième leçon
Comment augmenter votre valeur

Charles Kettering, de General Motors, écrit :

Je dis à mes gens que je ne veux pas d'un employé qui travaille pour moi ; ce que je veux, c'est un employé qui est absorbé par son travail. Et je veux qu'il soit à ce point absorbé par son travail, qu'indépendamment où il se trouve, il y pense. Je veux qu'il ait son travail en tête lorsqu'il se met au lit le soir, et que le matin ce travail l'attende au pied de son lit et lui dise : « C'est l'heure de te lever et d'aller travailler ! » Lorsque quelqu'un est à ce point absorbé par son travail, il ne peut qu'avoir de la valeur.

Malheureusement, l'employé idéal de monsieur Kettering devient de plus en plus rare dans les entreprises, grandes ou petites. La qualité d'un produit est devenue si précieuse que nous sommes prêts à débourser des sommes exorbitantes pour une automobile qui a été bien assemblée, une caméra qui ne s'enraye pas et même un portefeuille qui ne tombe pas en pièces. Cela s'applique aussi aux services personnels. Un avocat, un représentant, un médecin ou un mécanicien de première classe, toute personne qui est fière de son travail, vaut son pesant d'or.

Orison Swett Marden a été le premier auteur populaire sur le succès. Son ouvrage classique, *Pushing to the Front*[1], s'est vendu partout au pays avant le début du siècle ; il a été traduit en plusieurs langues et est même devenu un best-seller au Japon.

Il y a une qualité spéciale, dans les vieux textes sur le succès, que l'on ne retrouve pas très souvent de nos jours. Peut-être ces auteurs d'une autre époque écrivaient-ils avec une plus grande intensité qui, combinée à une grammaire d'un autre temps, donnait une saveur presque biblique à leurs œuvres.

Quoi qu'il en soit, nous espérons que l'écriture extraordinairement puissante de monsieur Marden, dans cette leçon tirée de *Pushing to the Front,* vous poussera à réfléchir davantage la prochaine fois que vous serez tenté de donner moins que le maximum...

Il y a plusieurs années, à New London, un canot de sauvetage se mit à prendre l'eau ; lors des réparations, on trouva dans le fond de ce canot un marteau que des ouvriers y avaient oublié treize ans plus tôt. À cause du tangage constant du bateau, le marteau avait fini par user toute l'épaisseur de la coque.

Il y a quelque temps, on a découvert qu'une femme avait passé vingt ans en prison à la suite d'une condamnation à vingt mois de détention dans le sud du pays, à cause de l'erreur d'un commis de la cour qui avait écrit « années » à la place de « mois » dans le dossier de la détenue.

---

1. Littéralement : Se frayer un chemin jusqu'au premier rang (N. du T.).

L'histoire de l'humanité comporte d'innombrables tragédies toutes aussi horribles les unes que les autres causées par la négligence et les bourdes inexcusables de gens qui n'ont jamais pris l'habitude de la précision et du travail soigné et complet.

Des multitudes de gens ont perdu un œil, une jambe ou un bras, ou ont été estropiés parce que des travailleurs malhonnêtes ont fabriqué des articles déficients, ont mal fait leur travail ou dissimulé des défauts ou des faiblesses sous une couche de peinture ou de vernis.

Combien de gens ont perdu la vie à cause d'un travail malhonnête, de négligence ou de bévues criminelles dans la construction ferroviaire ? Pensez aux tragédies causées par des roues de wagons, des locomotives, des chaudières et des moteurs défectueux ; des rails, des clous et des commutateurs ; des défauts imputables au travail malhonnête de gens qui disaient que c'était bien suffisant, compte tenu du maigre salaire qu'ils touchaient ! Parce que les gens ne travaillaient pas consciencieusement, il y avait des fissures dans le métal qui entraînaient des bris de rails ou de piliers et des pannes de locomotives ou d'autres machines. Un arbre d'hélice brisait au milieu de l'océan et les vies de millers de passagers étaient mises en péril à cause de la négligence de quelqu'un.

Même avant qu'ils soient complétés, des édifices s'écroulent souvent, ensevelissant les travailleurs sous leurs ruines, parce que quelqu'un, employeur ou employé, a été négligent et malhonnête, et a commis des erreurs, parfois volontaires, au cours de la construction.

La majorité des déraillements et des désastres sur terre et sur mer qui ont causé tant de malheurs et coûté tant de vies ont été le résultat de la négligence, de l'indifférence ou d'un travail mal fait, exécuté en vitesse et sans aucun soin. Tout cela est imputable au manque d'idéal de travailleurs peu soigneux, négligents ou indifférents.

Partout sur cette vaste terre, nous observons les résultats tragiques du travail bâclé. Des jambes de bois, des manches de chemise vides, d'innombrables tombes, des foyers orphelins de père ou de mère attestent partout de la négligence, des bévues ou de l'imprécision d'une personne. Les pires crimes ne sont pas sanctionnés par la loi. La négligence, l'indifférence, le manque d'application constituent des crimes contre soi et contre l'humanité qui sont souvent plus graves que les crimes qui font d'un individu un marginal de la société. La moindre fissure ou le plus petit défaut peut coûter une vie précieuse, et la négligence est tout autant un crime que tout autre crime délibéré.

Si chacun travaillait consciencieusement, sans sauter d'étapes, non seulement y aurait-il moins de pertes de vies humaines et de personnes estropiées et handicapées, mais nous bénéficierions d'une meilleure qualité de vie.

La plupart des gens pensent trop à la quantité, et pas assez à la qualité de leur travail. Ils essaient d'en faire trop, et ne le font pas bien. Ils ne réalisent pas que l'éducation, le confort, la satisfaction, l'amélioration générale et l'évolution de l'homme résultent d'un travail absolument bien fait et consiste à apposer sa marque personnelle à son travail, ce qui a bien plus de valeur que d'exécuter n'importe comment mille et une tâches.

Nous sommes ainsi faits que la qualité que nous mettons dans le travail de notre vie influe sur tout ce qui nous entoure et tend à élever notre conduite tout entière au niveau correspondant. La personne tout entière adopte les caractéristiques de sa façon de faire habituelle. L'habitude de la précision renforce la mentalité et améliore le caractère tout entier.

Au contraire, un travail peu soigné, bâclé, négligent détériore la mentalité tout entière, démoralise l'individu et dévalorise toute sa vie.

Toutes les tâches faites à moitié ou bâclées laissent des traces de démoralisation. Après avoir bâclé votre travail, après avoir accompli une tâche sans y mettre de soin, vous n'êtes plus tout à fait le même. Vous n'essayerez probablement pas de maintenir une certaine qualité dans votre travail et de le considérer comme sacré.

Les effets d'un travail négligé et bâclé et son pouvoir démoralisateur sur le mental et le moral peuvent difficilement être évalués, car le processus est graduel et subtil. On ne peut se respecter lorsqu'on a l'habitude de bâcler son travail, et lorsqu'on perd le respect de soi, on perd aussi la confiance en soi ; lorsque la confiance en soi et le respect de soi n'existent plus, l'excellence devient impossible.

Il est fascinant de voir à quel point l'habitude de la négligence envahira graduellement et insidieusement l'individu pour transformer son attitude mentale tout entière et modifier les objectifs de sa vie, même lorsqu'il croit faire de son mieux pour les réaliser.

Je connais un homme qui désirait ardemment faire quelque chose de très distinctif et qui avait la capacité de le faire. Au début de sa carrière il était très exact et appliqué. Il exigeait le meilleur de lui-même, refusant d'accepter les demi-mesures en quelque domaine que ce soit. La négligence dans son travail lui était douloureuse, mais ses processus mentaux se sont tellement détériorés et il est devenu si démoralisé par l'habitude qu'il a prise graduellement d'accepter des compromis dans la qualité de son travail qu'il néglige maintenant celui-ci sans se plaindre, sans même en être visiblement conscient. Il fait aujourd'hui des choses assez ordinaires, sans manifester quelque mortification ou humiliation que ce soit, et ce qui est tragique dans tout ça, c'est qu'*il ne connaît pas la raison de son échec* !

L'individu doit constamment surveiller et cultiver ses ambitions et ses idéaux pour que ceux-ci ne régressent pas. Il y a des gens dont les ambitions et les idéaux régressent lorsqu'ils sont seuls ou en présence de personnes négligentes ou indifférentes. Ils ont constamment besoin de l'assistance, des suggestions, des encouragements ou des exemples des autres pour maintenir des normes élevées.

Avez-vous remarqué avec quelle vitesse un jeune qui a des idéaux élevés, qui a été bien éduqué au plan du travail bien fait, régresse souvent lorsqu'il quitte la maison et va travailler pour un employeur dont les idéaux sont inférieurs et les méthodes, négligées !

Introduire l'infériorité dans le travail revient à introduire un poison subtil dans le système. Cela paralyse les fonctions normales. L'infériorité est une infection qui, comme le levain, affecte le système tout entier. Elle brouille les idéaux, amoindrit les aspirations, détruit l'ambition et entraîne des détériorations de toutes sortes.

La mécanique humaine est constituée de façon telle que, lorsqu'une de ses parties est touchée, cela affecte la structure tout entière. Il y a une relation très étroite entre la qualité du travail et celle du caractère. Avez-vous déjà remarqué le déclin rapide que subit le caractère d'un homme lorsqu'il commence à bâcler son travail, à tirer au flanc, à accomplir ses tâches en vitesse et de manière peu soignée ?

Si vous demandiez aux détenus de nos pénitentiers ce qui a entraîné leur ruine, plusieurs d'entre eux pourraient faire remonter la source de leurs maux à la tendance à tirer au flanc, à consacrer moins d'heures à leur travail, à tromper leurs employeurs, à travailler dans l'indifférence et la malhonnêteté.

Nous naissons honnêtes. L'honnêteté est notre expression normale, et tout écart en ce sens démoralise et affecte le caractère tout entier. L'honnêteté signifie l'intégrité en toute chose. Non seulement équivaut-elle à respecter votre parole, mais aussi à être soigneux, précis et honnête dans votre travail. Elle ne signifie pas qu'à condition de ne pas mentir en paroles vous pouvez mentir et tromper les autres en ce qui concerne la qualité de votre travail. L'honnêteté c'est l'intégralité, le tout ; elle veut dire vérité en tout, en actions et en paroles. Elle ne veut pas simplement dire que l'on ne doit pas voler les biens ou l'argent des autres. On ne doit pas non plus voler le temps des autres ; on ne doit pas voler ses biens ou ruiner sa propriété en finissant à moitié ou en bâclant son travail, en faisant preuve de négligence ou d'indifférence. Votre contrat avec votre employeur stipule que vous lui donnerez le meilleur de vous-même, et non un peu moins.

« Ce que tu es stupide, disait un travailleur à son camarade, de te donner tant de mal pour faire ce travail, alors que tu n'es pas payé plus cher pour autant. Obtenir le maximum pour le moins de travail possible, voilà ma règle ; et je gagne deux fois plus d'argent que toi. »

« C'est possible, répondit l'autre, mais je m'aimerai davantage, je m'estimerai davantage, et cela est plus important que l'argent à mes yeux. »

Vous vous aimerez davantage si vous obtenez l'approbation de votre conscience. Cela vaudra davantage à vos yeux que tout l'argent que vous pourrez tirer de la fraude, du travail bâclé ou peu soigné. Rien d'autre ne peut vous procurer la satisfaction, l'emballement et la joie qui accompagnent un travail superbement exécuté. Le travail parfait s'harmonise avec les principes mêmes de notre être, parce que nous sommes destinés à la perfection. Cela convient à notre nature même.

Quelqu'un a dit : « La négligence et l'ignorance se disputent la première place pour ce qui est de causer des ennuis. »

Il arrive souvent qu'un jeune homme ne puisse progresser en raison d'un élément qui lui semble sans importance : la négligence, le manque de précision. Il ne termine jamais vraiment ce qu'il entreprend ; on ne peut se fier à lui pour bien faire quoi que ce soit ; son travail doit toujours être examiné par quelqu'un d'autre. Des centaines de commis et de petits comptables touchent de maigres salaires et occupent des postes peu importants aujourd'hui parce qu'ils n'ont jamais appris à accomplir une tâche tout à fait correctement.

Un homme d'affaires bien en vue est d'avis que la négligence, le manque de précision et la maladresse coûtent à Chicago un million de dollars par jour. Le directeur d'une importante maison dans cette ville dit qu'il doit placer des surveillants un peu partout dans son entreprise pour neutraliser les tendances à l'imprécision et à la maladresse. Un des associés de John Wanamaker dit que les maladresses et les erreurs inutiles coûtent à son entreprise vingt-cinq mille dollars annuellement. Le service du courrier rejeté du bureau de poste de Washington a reçu en un an sept millions de pièces de courrier rejetées. Parmi celles-ci, plus de quatre-vingt mille ne portaient aucune adresse. Plusieurs d'entre elles provenaient d'entreprises. Les commis responsables de ces négligences se mériteront-ils des promotions ?

Bien des employés qui seraient choqués à la pensée de mentir de vive voix à leur employeur lui mentent tous les jours par la qualité de leur travail, leur rendement malhonnête, le peu d'heures qu'ils consacrent à leur travail, leur paresse et leur indifférence à l'égard des intérêts de leur employeur. Il est tout aussi malhonnête de tromper quelqu'un par un piètre travail ou par la paresse que de le tromper en paroles, et pourtant j'ai connu des garçons de courses dans les bureaux qu'on n'aurait jamais pu convaincre de raconter directement un mensonge à leur employeur, mais qui volaient du temps lors d'une course, qui se cachaient pendant les heures de travail, fumaient une cigarette ou faisaient une sieste, ne réalisant sans doute pas que le mensonge peut prendre la forme d'une action aussi bien que d'une parole, et qu'une action mensongère est parfois encore pire qu'une parole mensongère.

L'homme qui bâcle son travail, qui ment ou qui triche concernant les biens qu'il vend ou qu'il fabrique, est malhonnête, tant avec lui-même qu'avec les autres, et doit payer sous forme de perte de respect de lui-même, de perte de caractère ou de statut social.

Pourtant nous voyons de tous côtés toutes sortes de choses qui se vendent le prix d'une chanson parce que le fabricant n'y a mis aucun caractère, aucune pensée. Des vêtements qui semblent bien faits et attrayants lorsqu'on les porte pour la première fois, changent rapidement de forme et ont l'air vieilli et usé. Les boutons tombent, les coutures lâchent au premier geste brusque, des défauts de couture sont partout visibles, et souvent le vêtement tout entier tombe en pièces alors qu'on ne l'a pas même porté une demi-douzaine de fois.

Partout nous voyons des meubles qui semblent bien faits, mais qui en réalité sont pleins de défauts et de faiblesses, dissimulés sous la peinture et le vernis. Les joints laissent voir de la colle, les chaises et les lits se brisent à la moindre provocation, les roues et les poignées ne tiennent pas et bien des choses se brisent, même lorsqu'elles sont encore neuves.

On pourrait très justement inscrire sur une bonne part des articles manufacturés d'aujourd'hui : « Fabriqué pour la vente, et non pour le service. »

Il est difficile de trouver quoi que ce soit qui soit bien fabriqué, honnête, qui ait du caractère, de l'individualité et une certaine perfection. La plupart des objets sont grossièrement assemblés. Cette fabrication négligée et malhonnête est si répandue que les produits fabriqués avec honnêteté et le souci de la vérité se gagnent souvent une réputation mondiale et se vendent à prix forts.

Il n'y a pas de meilleure publicité qu'une bonne réputation. Certains des plus grands manufacturiers du monde considèrent leur réputation comme leur bien le plus précieux et n'accepteraient en aucune circonstance que leur nom soit associé à un produit imparfait. On paie souvent d'importantes sommes d'argent pour utiliser un nom, à cause de sa grande réputation d'intégrité et d'honnêteté.

Il y eut un temps où les noms de Graham et Tampion sur des horloges ou des montres constituaient des garanties de fabrication sans faille et d'intégrité incontestée. Des gens de tous les pays du monde pouvaient envoyer de l'argent et commander des biens à ces manufacturiers, et ils étaient certains d'être bien servis.

Tampion et Graham furent inhumés à l'abbaye de Westminster à cause de la précision de leur travail, parce qu'ils ont refusé de fabriquer et de vendre des mensonges.

Lorsque vous finissez quelque chose, vous devez être en mesure de vous dire : « Voilà, je suis prêt à défendre ce travail. Il n'est pas simplement assez bien fait ; il est fait aussi bien que je l'ai pu ; tout à fait fini. Je vais le défendre. Je n'ai pas d'objection à ce qu'on me juge d'après ce travail. »

Ne vous satisfaites jamais de ce que ce soit « assez bon », « pas mal bon » ou « suffisant ». N'acceptez rien de moins que ce que vous faites de mieux. Mettez une telle qualité dans votre travail que tous ceux qui verront quelque chose que vous avez fait y verront du caractère, de l'individualité et la marque de votre supériorité. Votre réputation est en jeu chaque fois que vous faites quelque chose, et votre réputation c'est votre capital. Vous ne pouvez vous permettre de faire un piètre travail, de mettre en circulation un travail bâclé ou inférieur à vos possibilités. La moindre parcelle de votre travail, même si elle vous semble peu importante ou insignifiante, doit porter la marque de votre excellence ; considérez chaque tâche que vous exécutez, chaque partie du travail que vous touchez, comme Tampion considérait chacune des montres qui sortait de son atelier. Ce doit être fait au maximum de vos possibilités, correspondre à ce que l'adresse humaine peut produire de meilleur.

Ce n'est que la petite différence entre le bon et le meilleur qui distingue l'artiste de l'artisan. Ce ne sont que les petits raffinements qui surviennent après que l'homme moyen ait terminé qui font la renommée du maître.

Considérez votre travail comme Stradivarius considérait ses violons qu'il « fabriquait pour l'éternité » et dont on n'a jamais entendu dire qu'ils se soient brisés ou défaits. Stradivarius n'avait pas besoin de breveter ses violons, car aucun autre luthier n'était disposé à payer ce qu'il payait pour l'excellence et n'aurait fait de tels efforts pour imprimer sa marque de supériorité sur un instrument. Tous les stradivarius qui subsistent de nos jours valent entre trois et dix mille dollars, soit plusieurs fois leur pesant d'or.

Réfléchissez à la valeur d'une réputation d'excellence comme celle de Stradivarius ou de Tampion, à ce qu'une telle passion pour la qualité dans le travail pourrait vous apporter ! Il n'y a rien comme de posséder cet amour de la précision, d'avoir pour principe de vie la qualité et de toujours rechercher l'excellence.

Nulle autre caractéristique ne produit une plus forte impression sur un employeur que l'habitude de l'effort intense, de l'attention et de la précision. Il sait que lorsqu'une jeune personne travaille consciencieusement par principe, et non pas pour le salaire ou ce qu'elle peut obtenir en retour, mais parce que quelque chose en elle refuse d'accepter tout compromis quant à la qualité, elle est honnête et a de l'étoffe.

J'ai observé à plusieurs reprises que l'avancement se fondait sur le léger surplus d'intérêt et d'effort qu'un employé mettait dans son travail, sur le fait qu'il en faisait un peu plus que ce que l'on attendait de lui. Les employeurs ne disent pas tout ce qu'ils pensent, mais ils détectent très rapidement les indications de supériorité. Ils gardent un œil sur l'employé qui porte la marque de l'excellence, qui se donne à son travail, qui le mène à son terme. Ils savent qu'il a de l'avenir.

John D. Rockefeller Jr dit que « le secret de la réussite consiste à faire d'une façon extraordinaire un travail ordinaire. » La majorité des gens ne réalisent pas que les échelons qui conduisent aux postes supérieurs se forment petit à petit par l'accomplissement fidèle des tâches courantes et quotidiennes du poste qu'ils occupent présentement. Ce que vous faites actuellement vous ouvrira ou vous fermera la porte des promotions.

Plusieurs travailleurs attendent que quelque chose d'important se produise et leur fournisse l'occasion de faire leurs preuves. « Que peut-il y avoir, se disent-ils, dans cette fastidieuse routine, dans ces tâches courantes et ordinaires, qui pourrait m'aider à progresser ? » Mais c'est la jeune personne qui voit une grande occasion dissimulée derrière ces simples tâches, qui voit une occasion exceptionnelle dans une situation ordinaire, un poste modeste, qui progresse dans le monde. Vous devez travailler un peu mieux que ceux qui vous entourent, être un peu plus attentif, un peu plus rapide, un peu plus précis, un peu plus observateur ; vous devez vous efforcer de trouver des façons nouvelles et plus progressives d'exécuter de vieilles tâches ; vous devez être un peu plus poli, un peu plus obligeant, un peu plus diplomate, un peu plus joyeux et optimiste, un peu plus énergique et un peu plus disposé à aider si vous désirez attirer l'attention de votre employeur ou d'autres employeurs.

Il arrive souvent qu'un individu soit destiné à un poste plus important par son employeur bien avant qu'il ne s'en rende compte. Ce peut être une question de mois ou même d'années avant que l'occasion ne se présente, mais lorsqu'elle se présente, celui qui a compris l'infinie différence existant entre « bon » et « meilleur », entre « assez bon » et « excellent », entre ce que les autres qualifient de « bon » et ce qui peut être fait de mieux, obtiendra vraisemblablement la préférence.

Si vous avez dans votre nature quelque chose qui exige ce qu'il y a de meilleur et qui refuse de se contenter de moins, si vous insistez pour maintenir vos normes dans tout ce que vous faites, vous vous distinguerez dans un domaine spécifique, à condition que vous ayez la persévérance et la détermination de poursuivre votre idéal.

Mais si vous êtes satisfait du travail ordinaire, bâclé et exécuté en vitesse, si vous ne mettez aucune qualité dans votre travail, dans votre environnement ou dans vos habitudes personnelles, attendez-vous à vous retrouver second ou à vous classer dernier.

Les gens qui ont accompli quelque chose de valable savent vraiment comment faire les choses. Ils ne se contentent pas de la médiocrité. Ils ne se sont pas confinés aux sentiers battus ; ils ne se sont jamais contentés de faire les choses comme les autres les faisaient, mais ont toujours voulu faire un peu mieux. Ils ont toujours poussé un peu plus loin les tâches qu'ils accomplissaient. C'est cet effort supplémentaire qui compte dans la qualité du travail de la vie. C'est l'effort constant pour être le premier dans tout ce que l'on entreprend qui nous permet de conquérir les sommets de l'excellence.

On dit que Daniel Webster faisait la meilleure bouillabaisse de son État simplement parce qu'il refusait de se classer deuxième en quoi que ce soit. Il s'agit d'une bonne résolution à prendre au début d'une carrière : N'être jamais deuxième en quoi que ce soit. Quoi que vous fassiez, essayez de le faire aussi bien que possible. N'ayez rien à voir avec les gens inférieurs. Faites votre possible en tout ; ayez des rapports avec les meilleurs ;

choisissez ce qu'il y a de mieux ; faites de votre mieux en tout.

Partout nous voyons des hommes médiocres ou de second rang : des commis perpétuels qui ne progresseront jamais, des mécaniciens qui ne seront jamais que des maladroits, toutes sortes de gens qui ne s'élèveront jamais au-dessus de la médiocrité, qui occuperont toujours des postes ordinaires parce qu'ils ne font aucun effort, ne travaillent pas consciencieusement et n'essaient pas de faire un travail de première classe.

En plus du manque de désir ou d'efforts en vue de devenir une personne de première classe, il y a d'autres facteurs qui maintiennent les gens au second rang. La dissipation, les mauvaises habitudes, la négligence de la santé, le manque d'études, tout cela contribue à produire des hommes de seconde classe. Un homme affaibli par la dissipation, dont la compréhension est amoindrie, dont la croissance a été freinée par les plaisirs est un homme de seconde, sinon de troisième classe. Un homme qui, par la façon dont il occupe ses heures de loisir, épuise sa force et sa vitalité, pollue son sang et fatigue ses nerfs jusqu'à ce qu'il tremble comme feuille au vent, n'est que la moitié d'un homme et ne peut en aucun cas être de première classe.

Tout le monde connaît les facteurs qui caractérisent un comportement de seconde classe. Les garçons imitent leurs aînés et fument des cigarettes pour se donner des airs « brillants ». Ensuite ils continuent à fumer parce qu'ils se sont créé un appétit aussi contre-nature que dommageable. Des hommes s'enivrent pour toutes sortes de raisons ; mais quelles que soient ces raisons, ils ne peuvent boire et demeurer des hommes de première classe. Les autres formes de dissipation ont pour but la recherche du plaisir, mais la conséquence la plus sûre, c'est que l'on s'expose à devenir des hommes de seconde classe, inférieure aux normes des hommes les meilleurs dans tous les domaines.

Tout défaut que vous laissez devenir une habitude, que vous laissez vous contrôler, contribue à faire de vous une personne de seconde classe et vous désavantage dans la course aux honneurs, aux postes de valeur, à la richesse et au bonheur. Ces classes submergées dont parlent les économistes sont celles qui sont inférieures à la classe qui réunit les meilleurs hommes et les meilleures femmes. Parfois il s'agit de gens de deuxième ou de troisième ordre parce que ceux qui les ont mis au monde et élevés étaient ainsi, mais l'individu ne peut que se blâmer lui-même s'il demeure toute sa vie une personne de deuxième classe. À peu près tout le monde de ce pays a la chance de faire des études, même très valables. En ne se prévalant pas des meilleurs programmes d'études disponibles, sous forme de livres ou de formation dans le domaine des affaires, on est certain de demeurer au second rang.

L'incompétence n'a aucune excuse dans cette ère de prospérité ; il n'y a pas d'excuse pour être au second rang lorsqu'il est possible d'être au premier, alors même que ce premier rang est partout en demande.

On ne désire les choses de seconde classe que lorsque les choses de première classe ne sont pas disponibles. Vous portez des vêtements de première qualité si vous pouvez vous les offrir, vous mangez du beurre de première qualité, de la viande de première qualité et du pain de première qualité, et si vous ne le faites pas, vous le souhaitez. Les hommes de deuxième classe ne sont pas plus recherchés que les biens de deuxième qualité. On fait appel à eux lorsque les éléments de première qualité sont rares ou trop coûteux pour l'occasion. Pour le moindre travail important, on fait appel à des hommes de première classe. Si vous atteignez la première classe dans un domaine spécifique, quelle que soit votre situation ou votre condition, votre race ou votre couleur, vous serez en demande. Si vous êtes un champion dans votre domaine, quelque modeste qu'il soit, rien ne peut vous empêcher de réussir.

Le monde ne vous demande pas d'être médecin, avocat, fermier ou commerçant, mais il exige de vous que, quoi que vous entrepreniez, vous le fassiez bien, vous le fassiez de votre mieux et avec toute l'habileté que vous possédez. Il exige que vous soyez un maître dans votre domaine.

Lorsque Daniel Webster, un des plus grands cerveaux de son époque, se vit demander de prononcer un discours sur un certain sujet lors de la conclusion d'une session du congrès, il répondit : « Je ne me permets jamais de prononcer une allocution sur un sujet à moins de bien le posséder. Dans ce cas, je n'ai pas eu le temps de le faire, et je dois donc refuser d'en traiter. »

Dickens ne consentait jamais à lire devant un auditoire avant de s'être soigneusement préparé.

Balzac, le grand romancier français, travaillait parfois une semaine sur une seule page.

William Macready, lorsqu'il jouait devant de petits auditoires dans les théâtres ruraux d'Angleterre, d'Irlande et d'Écosse, se comportait toujours comme s'il se produisait devant les publics les plus distingués des grandes métropoles du monde.

L'application caractérise toujours les personnes qui réussissent. Le génie est l'art de faire des efforts infinis. Le problème avec de nombreux Américains, c'est qu'ils semblent croire qu'ils peuvent jalonner leur carrière de tâches bâclées, à moitié terminées, et obtenir des produits de première classe. Ils ne réalisent pas que toute grande réalisation est caractérisée par un soin extrême et des efforts infinis, dans les moindres détails. Une jeune personne ne peut espérer réaliser de grandes choses si elle n'a pas pris l'habitude indélébile de travailler avec application et précision. La négligence, l'imprécision et l'habitude de faire les choses à moitié pourraient ruiner la carrière d'une jeune personne, même si elle possédait le cerveau de Napoléon.

Si nous devions examiner une liste des hommes qui ont laissé leur marque dans le monde, nous découvririons qu'en règle générale, une telle liste ne se compose pas des noms de personnes qui étaient brillantes dans leur jeunesse, mais plutôt de ceux de jeunes gens persévérants qui, s'ils ne brillaient pas par leur intelligence, avaient en eux-mêmes le pouvoir d'abattre une journée de travail, pouvaient poursuivre une tâche jusqu'à la fin et jusqu'à ce qu'elle soit bien faite, et avaient de la ténacité, de la persévérance, du bon sens et de l'honnêteté.

Les gens appliqués sont ceux dont on entend parler, et généralement à partir de postes bien plus élevés que ceux qu'occupent les personnes qui étaient trop « brillantes » pour être appliquées. L'un de ces hommes est Elihu Root, actuellement sénateur des États-Unis. Lorsqu'il fréquentait l'école secondaire de Clinton, dans l'État de New York, il décida de s'acharner sur tout ce qu'il étudierait jusqu'à ce qu'il le maîtrise. Il n'était pas considéré comme l'un des garçons « brillants » de l'école, mais son professeur s'aperçut bientôt que lorsque Elihu disait savoir quelque chose, il le savait parfaitement. Il était attiré par les problèmes difficiles qui demandaient de l'application et de la patience. Parfois les autres garçons le qualifiaient de « piocheur », mais

Elihu se bornait à sourire gentiment, car il savait où il allait. Les soirs d'hiver, alors que les autres garçons patinaient, Elihu restait souvent dans sa chambre pour étudier l'arithmétique ou l'algèbre.

Monsieur Root déclarait récemment, à propos de son application à résoudre les problèmes dans sa jeunesse, qu'elle lui avait au moins appris à ne pas sauter aux conclusions. Chaque problème comportait une seule réponse possible et la patience était le prix à payer pour la trouver. Appliquant au droit le principe voulant que «tout doive être mené à son terme», il est devenu l'un des membres les plus éminents du barreau de New York, s'est vu confier d'importantes responsabilités, pour faire finalement partie du cabinet présidentiel.

William Ellery Channing, le grand prédicateur de la Nouvelle-Angleterre, qui dans sa jeunesse était à peine capable d'acheter les vêtements dont il avait besoin, avait la passion de l'amélioration personnelle. «Je voulais tirer le meilleur de moi-même, dit-il. Je ne me contentais pas de connaître les choses superficiellement et à demi, mais je m'efforçais d'observer sous plusieurs angles ce que j'étudiais.»

Ce qui manque le plus, c'est l'application. Quand voyez-vous une jeune femme ou un jeune homme qui soit disposé à se préparer au travail de sa vie? Un minimum d'études, voilà tout ce qu'ils veulent, un minimum de lectures, et ils sont prêts à se lancer en affaires.

«Je n'ai pas la patience», «Je n'ai pas le temps de m'appliquer». Ces expressions sont caractéristiques de notre pays et sont observables dans tous les domaines: le commerce, les écoles, la société ou les institutions religieuses. Nous sommes impatients d'aller au collège, au séminaire ou à l'université. Le petit garçon est impatient de devenir adolescent et l'adolescent d'être un homme.

Les jeunes hommes se lancent en affaires avec bien peu d'études ou de formation ; bien sûr, ils accomplissent un piètre travail et flanchent à un âge moyen, et plusieurs meurent de vieillesse dans la quarantaine.

Il n'y a sans doute pas un pays au monde où l'on travaille aussi mal qu'en Amérique. Des étudiants en médecine à moitié formés exécutent maladroitement des opérations et massacrent leurs patients parce qu'ils ne sont pas prêts à prendre le temps de se préparer convenablement. Des avocats à demi formés ratent leurs causes et font payer leurs clients pour l'expérience que leurs études en droit auraient dû leur fournir. Des prédicateurs à moitié formés prononcent des sermons maladroits et dégoûtent leurs paroissiens intellligents et cultivés. De nombreux jeunes Américains sont prêts à se lancer dans la vie à moitié préparés à leur travail, pour jeter par la suite le blâme de leur échec sur la société.

Armé de lettres d'introduction d'hommes éminents, un jeune homme se présenta un jour au bureau de l'ingénieur en chef Parsons, de la Rapid Transit Commission de New York, et posa sa candidature à un poste vacant.

« Que pouvez-vous faire ? Avez-vous un champ de spécialisation ? » demanda monsieur Parsons.

« Je peux faire à peu près tout », répondit le jeune homme.

« Eh bien », dit l'ingénieur chef en se levant pour signaler la fin de l'entrevue, « je n'ai rien à faire d'une personne qui peut faire à peu près n'importe quoi. Je préfère un travailleur qui peut faire un travail à fond. »

Il y a une multitude d'être humains qui se trouvent exclus du seuil de l'efficacité. Ils peuvent faire beaucoup de choses à moitié, mais ne peuvent en faire une seule à fond. Ils ont acquis des notions qui ne servent jamais à rien parce qu'ils ne les ont pas développées jusqu'à la compétence ; ils se sont arrêtés juste avant d'être efficaces. Combien y a-t-il de gens qui connaissent presque une langue ou deux, sans pouvoir les écrire ou les parler ; une science ou deux, dont ils ne maîtrisent pas tout à fait les éléments ; un art ou deux qu'ils ne peuvent pratiquer de façon satisfaisante ou profitable !

Le bureau des brevets de Washington contient des centaines, des milliers d'inventions qui sont inutiles simplement parce qu'elles ne sont pas vraiment pratiques, parce ce que les hommes qui les ont mises au point n'avaient pas la patience, l'éducation ou les capacités nécessaires pour les rendre pratiques.

Le monde est rempli de travail à demi terminé, d'échecs qui ne demandent qu'un peu plus de persistance, qu'une formation mécanique un peu plus poussée, des études un peu plus avancées pour que le monde puisse en tirer profit. Pensez à la perte que le monde aurait subie si des hommes tels qu'Edison et Bell ne s'étaient pas imposés pour terminer avec succès le travail à moitié fait des autres !

Fixez-vous pour règle de vie de donner le meilleur de vous-même à toutes les tâches qui vous passent dans les mains. Apposez-y votre marque d'homme. Faites de la supériorité votre marque de commerce ; faites en sorte qu'elle caractérise tout ce que vous touchez. C'est ce que recherche tout employeur. Elle est indicatrice du meilleur cerveau qui soit ; elle est le meilleur substitut au génie ; elle constitue un meilleur capital que l'argent comptant, un atout plus précieux que les amis ou que les contacts avec les gens influents.

Un manufacturier prospère déclare : « Si vous fabriquez une bonne épingle, vous gagnerez plus d'argent que si vous fabriquez un mauvais moteur à vapeur. »

« Si un homme peut écrire un meilleur livre, prononcer un meilleur sermon ou fabriquer une meilleure souricière que son voisin, dit Emerson, même s'il construit sa maison dans la forêt, le monde se frayera un chemin jusqu'à sa porte. »

Ne vous arrêtez pas trop à ce que vous pouvez obtenir en échange de votre travail. Vous avez quelque chose d'infiniment plus important et plus valable en jeu. Votre honneur, votre carrière tout entière, votre future réussite seront affectés par la façon dont vous travaillez et par la conscience ou le manque de conscience que vous mettez dans votre travail. Votre caractère, votre statut d'homme ou de femme sont en jeu, et en comparaison de cela le salaire n'est rien.

Tout ce que vous faites fait partie de votre carrière. Si n'importe quel travail que vous faites est bâclé, mal fait, incomplet ou négligé, votre caractère en souffrira. Si votre travail est mal fait, s'il tombe en morceaux, s'il comporte un défaut, une faiblesse ou une malhonnêteté, il y a de la négligence, du laisser-aller et de la malhonnêteté dans votre caractère. Nous sommes tous homogènes. Nous ne pouvons avoir un caractère honnête ni une carrière complète et sans taches lorsque nous gaspillons constamment notre temps, que nous utilisons des matériaux défectueux et que nous négligeons notre travail.

Celui qui s'est laissé aller à l'imposture et à l'infériorité et qui a bâclé son travail toute sa vie, doit être conscient qu'il n'a pas vraiment été un homme ; il ne peut s'empêcher de penser que sa carrière a été bâclée.

Passer sa vie à acheter et à vendre des mensonges, à s'adonner à l'imposture ou à bâcler son travail est démoralisant pour toute âme noble.

Beecher disait qu'il n'avait plus jamais été tout à fait le même après avoir lu Ruskin. Vous n'êtes plus jamais tout à fait le même après avoir fait un piètre travail, après avoir bâclé votre travail. Vous ne pouvez être juste envers vous-même et injuste envers votre employeur dans la qualité de votre travail, car, si vous bâclez votre travail, non seulement portez-vous un coup fatal à votre efficacité, mais vous souillez aussi votre caractère. Si vous voulez être un homme à part entière, un homme complet, un homme juste, vous devez être tout à fait honnête en ce qui concerne la qualité de votre travail.

Nul ne peut être vraiment heureux s'il ne croit pas en sa propre honnêteté. Nous sommes ainsi faits que la moindre dérogation à ce qui est juste ou à nos principes entraîne une perte du respect de soi et nous rend malheureux.

Chaque fois que nous obéissons à la loi intérieure de l'honnêteté, nous entendons une approbation intérieure, l'assentiment de l'âme ; et chaque fois que nous désobéissons, nous entendons une protestation, une condamnation.

Vous avez tout à gagner en maintenant un idéal élevé dans votre travail, car la vie imite toujours le modèle que l'on a à l'esprit. Quelle que soit votre vocation, faites de la qualité le slogan de votre vie.

Un artiste de renom disait qu'il ne se permettrait jamais de regarder un dessin ou un tableau inférieur, de faire quoi que ce soit de bas ou de démoralisant, de peur que ce contact ne vienne teinter son idéal et ne se communique à ses pinceaux.

Plusieurs mettent le travail bâclé et négligé sur le compte du manque de temps ; mais dans les situations ordinaires de la vie, il y a amplement de temps pour faire tout ce qui doit être fait.

Il y a une indescriptible supériorité qui s'ajoute au caractère et à la fibre de l'homme qui met toujours et partout de la qualité dans son travail. Il y a dans la vie de cet homme un sentiment d'intégrité, de satisfaction et de bonheur que ne ressent jamais celui qui ne fait pas toujours de son mieux. Il n'est pas hanté par le spectre ou l'image de tâches à demi terminées et de problèmes contournés ; sa conscience ne l'empêche pas de dormir.

Lorsque nous nous efforçons autant que possible de faire de notre mieux, notre nature tout entière s'améliore. Tout semble inintéressant lorsque nos efforts se relâchent. L'aspiration élève la vie ; la bassesse lui enlève sa valeur.

Ne vous imaginez pas que vous n'entendrez jamais parler d'un travail à moitié fait, d'une tâche négligée ou bâclée. Cela durera toujours et surgira de la manière la plus inattendue plus tard au cours de votre carrière, dans les situations les plus embarrassantes. Vous en serez à coup sûr mortifié alors que vous vous y attendrez le moins. Comme le spectre de Banquo, cela surgira aux moments les plus inattendus pour ternir votre bonheur.

Des milliers de gens passent leur vie à la même place et sont obligés d'accepter des postes inférieurs parce qu'ils ne peuvent surmonter entièrement le handicap des habitudes de négligence qu'ils ont acquises pendant leur jeunesse ; des habitudes d'imprécision, de relâchement ou de fuite des problèmes difficiles à l'école, l'habitude de bâcler, de négliger ou d'exécuter à moitié un travail. « Oh, c'est assez bien comme ça ; à quoi bon être perfectionniste à ce point ? » Voilà l'expression qui a marqué le début d'un handicap qui allait durer toute la vie dans la carrière de plusieurs.

J'ai été très impressionné par cette devise que j'ai vue récemment dans une importante entreprise : « Ici, seul le meilleur nous satisfait. » Quelle devise pour la vie d'un individu cela serait ! La civilisation serait transformée si chacun devait l'adopter et l'utiliser, si chacun devait décider que seul le meilleur serait assez bon, assez satisfaisant !

Adoptez vous-même cette devise. Inscrivez-la dans votre chambre, votre bureau ou votre lieu d'affaires ; notez-la dans votre carnet, appliquez-la à tout ce que vous faites et l'œuvre de votre vie sera ce que toute œuvre devrait être : un chef-d'œuvre.

SEPTIÈME SEMESTRE

Rien ne peut nous rendre plus charitables et attentifs aux fautes des autres que de nous examiner nous-mêmes pour mieux nous connaître.

François de Fénelon

*Il est futile de critiquer les autres,
et si vous le faites souvent, sachez que
cela peut être fatal à votre carrière.*

Dale Carnegie

Trente et unième leçon
Comment obtenir du miel plutôt que des piqûres d'abeilles

Il n'existe pas de gens qui se sont « faits » eux-mêmes.

Ceux qui se sont vraiment mérité le respect et l'admiration du monde pour leurs réalisations exceptionnelles sont toujours prompts à parler de ceux qui, au cours de leur vie, les ont aidés à atteindre leurs sommets.

Vous ne vivez pas dans un espace vide, pas plus que vous ne pouvez récolter les plus beaux fruits de la vie sans l'aide et l'encouragement des autres. En tant que membres de la vaste société humaine, votre croissance dépend, dans une large mesure, de vos rapports avec ceux qui croisent votre route à chaque heure du jour. Sans amitié et assistance, peu de succès vous sont permis. Même Robinson Crusoé s'est réjoui lorsqu'il a enfin rencontré Vendredi.

Alors pourquoi, dans ce cas, y en a-t-il tant parmi nous qui blessent les autres par leurs critiques et leurs jugements offensants ? Pourquoi laissons-nous nos propos excessifs creuser des ornières dans notre route, des ornières si profondes que, finalement, nous ne pouvons plus progresser ? S'agit-il encore de cette « volonté de l'échec » dont nous avons déjà parlé ? Peut-être.

Si vos propos vous ont déjà mérité des ennemis, des ennemis dont vous n'avez pas besoin et qui peuvent vous blesser, c'est le temps où jamais d'arrêter et de changer. Ce serait vraiment dommage qu'une habitude aussi insignifiante vous empêche d'exprimer vos possibilités.

Cette importante leçon est tirée du livre *Comment se faire des amis* qui est demeuré au palmarès des best-sellers pendant près de cinquante ans! Nul n'est plus capable de vous enseigner à entretenir des rapports efficaces avec les gens que son célèbre auteur, Dale Carnegie.

Le 7 mai 1931, la ville de New York assista à la plus sensationnelle chasse à l'homme qu'on eût jamais vue. Après des semaines de recherches, « Two-Gun » Crowley, l'homme aux deux revolvers, l'assassin, le gangster qui ne fumait ni ne buvait, fut traqué dans l'appartement de sa belle, à West End Avenue.

Cent cinquante policiers l'assiégèrent dans sa cachette, au dernier étage de l'immeuble. Perçant des trous dans le toit, ils essayèrent de le faire sortir au moyen de gaz lacrymogènes. Puis ils portèrent leurs mitrailleuses sur les buildings environnants, et, pendant plus d'une heure, un des quartiers les plus élégants de New York retentit du claquement des coups de feu et du crépitement des mitrailleuses. Protégé par un gros fauteuil rembourré, Crowley tirait sans relâche sur la police. Dix mille assistants observaient, surexcités, la bataille. On n'avait rien vu de semblable dans les rues de New York.

Après l'avoir capturé, Mulrooney, le chef de la police, déclara :

« Cet homme est un des criminels les plus dangereux que j'aie connus. Il tue pour rien. »

Mais lui, Crowley, comment se considérait-il ? Nous sommes renseignés là-dessus ; car tandis que la fusillade faisait rage autour de lui, il écrivit une lettre destinée à ceux qui trouveraient son cadavre. Alors qu'il en traçait les lignes, le sang ruisselant de ses blessures faisait une traînée rouge sur le papier. Dans cette lettre, il disait : « Sous ma veste bat un cœur las, mais bon, et qui ne ferait de mal à personne. »

Peu de temps avant ces événements, Crowley se trouvait en partie de plaisir, à la campagne, près de Long Island. Tout à coup, un policeman s'approcha de sa voiture arrêtée et dit : « Montrez-moi votre permis. »

Sans articuler un mot, Crowley sortit son revolver et transperça le malheureux d'une grêle de balles. Comme celui-ci tombait, Crowley sauta de son siège, saisit l'arme du policier et tira une autre balle dans le corps gisant. Tel était l'assassin qui disait : « Sous ma veste bat un cœur las, mais bon, et qui ne ferait de mal à personne. »

Crowley fut condamné à la chaise électrique. Quand il arriva à la chambre d'exécution, à la prison de Sing Sing, vous pensez peut-être qu'il dit : « Voilà ma punition pour avoir tué. » Non, il s'exclama : « Voilà ma punition pour avoir voulu me défendre. »

La morale de cette histoire, c'est que « Two-Gun » Crowley ne se jugeait nullement coupable.

Est-ce là une attitude extraordinaire chez un criminel ? Si tel est votre avis, écoutez ceci :

« J'ai passé les meilleures années de ma vie à donner du plaisir et de l'amusement aux gens, et quelle a été ma récompense ? Des insultes et la vie d'un homme traqué ! »

C'est Al Capone qui parle ainsi. Parfaitement ! L'ancien ennemi public numéro 1, le plus sinistre chef de bande qui ait jamais terrifié Chicago, Capone, ne se condamne pas. Il se considère réellement comme un bienfaiteur public, un bienfaiteur incompris, traité avec ingratitude.

C'est ce que disait aussi Dutch Schultz avant de s'écrouler sous les balles des gangsters de Newark. Dutch Schultz, l'une des bêtes malfaisantes les plus notoires de New York, déclara, au cours d'une entrevue avec un journaliste, qu'il était un bienfaiteur public. Et il le croyait. J'ai quelques lettres fort intéressantes de M. Lawes, directeur du fameux pénitencier de Sing Sing. Il assure que « peu de criminels, à Sing Sing, se considèrent comme des malfaiteurs. Ils se jugent tout aussi normaux que les autres hommes. Ils raisonnent, ils expliquent. Ils vous diront pourquoi ils ont été obligés de forcer un coffre-fort ou de presser sur la détente. Par un raisonnement logique ou fallacieux, la plupart s'efforcent de justifier, même à leurs propres yeux, leurs actes anti-sociaux et déclarent en conséquence que leur emprisonnement est absolument inique ».

Si Al Capone, « Two-Gun » Crowley et Dutch Schultz se considèrent comme innocents, que pensent alors d'eux-mêmes les gens que nous rencontrons chaque jour, vous et moi ?

Feu John Wanamaker, propriétaire des vastes magasins qui portent son nom, avouait une fois : « Depuis trente ans j'ai compris que la critique est inutile. J'ai bien assez de mal à corriger mes propres défauts sans me tourmenter parce que les hommes sont imparfaits et parce que Dieu n'a pas jugé bon de distribuer également à tous le don de l'intelligence. »

Wanamaker avait appris cette leçon de bonne heure. Pour moi, j'ai lutté pendant un tiers de siècle avant d'apercevoir la première lueur de cette vérité : quatre-vingt-dix-neuf fois sur cent, l'homme se juge innocent, quelle que soit l'énormité de sa faute.

La critique est vaine parce qu'elle met l'individu sur sa défensive et le pousse à se justifier. La critique est dangereuse parce qu'elle blesse l'amour-propre et qu'elle provoque la rancune.

Dans l'armée allemande, un soldat n'a pas le droit de déposer une plainte immédiatement après avoir subi une offense. Il doit d'abord dormir sur sa colère et se calmer. S'il formule sa réclamation immédiatement, il est puni. Au nom de tout ce qui est sacré, que n'avons-nous aussi pareille loi pour les parents grondeurs, les femmes geignardes, les patrons irascibles et pour toute la horde odieuse des mécontents !

Vous verrez poindre des exemples de la futilité de la critique dans mille et une pages d'histoire. Prenez, par exemple, la fameuse querelle qui opposa Theodore Roosevelt au président Taft ; une querelle qui a divisé le parti républicain, qui a porté Woodrow Wilson à la Maison-Blanche, a jeté une lumière crue sur la guerre mondiale et modifié le cours de l'histoire. Revoyons rapidement les faits : Lorsque Theodore Roosevelt quitta la Maison-Blanche en 1908, il fit élire Taft à la présidence et partit chasser le lion en Afrique. À son retour, il explosa. Il dénonça le conservatisme de Taft, tenta de se porter lui-même candidat pour un troisième terme, forma le parti Bull Moose et détruisit presque le GOP. Lors de l'élection suivante, William Howard Taft et le parti républicain ne furent élus que dans deux États : le Vermont et l'Utah. La défaite la plus désastreuse qu'ait jamais connue le vieux parti.

Theodore Roosevelt blâmait Taft ; mais le président Taft se blâmait-il ? Bien sûr que non. Les larmes aux yeux, Taft déclara : « Je ne vois pas où j'aurais pu agir différemment que je ne l'ai fait. »

Voyez, par exemple, le scandale du pétrole à Teapot Dome. Pendant plusieurs années, les journaux frémirent d'indignation. Le pays tout entier fut bouleversé. Jamais de mémoire d'homme on n'avait vu pareille chose en Amérique. Voici les faits : Albert Fall, ministre de l'Intérieur sous le gouvernement du président Harding, fut chargé de louer les terrains pétrolifères du gouvernement à Elk Hill et à Teapot Dome, terrains destinés ultérieurement à l'usage de la marine. Au lieu de procéder par voie d'adjudication, Fall remit directement l'opulent contrat à son ami Edward Doheny. Et que fit à son tour Doheny ? Il donna au ministre Fall ce qu'il lui plut d'appeler « un prêt » de cent mille dollars. Ensuite, Fall expédia immédiatement un détachement de soldats américains dans cette région pétrolifère pour en chasser les concurrents dont les puits adjacents tiraient le pétrole des réserves de Elk Hill. Ces concurrents, ainsi expulsés à la pointe des baïonnettes et des canons, se ruèrent devant les tribunaux et « firent éclater le scandale de Teapot Dome ». Du cloaque ainsi révélé monta alors une puanteur si infecte qu'elle ruina l'administration de Harding, écœura une nation entière, faillit briser le parti républicain et amena Albert B. Fall derrière les barreaux d'une prison.

Fall fut condamné comme peu d'hommes politiques le furent jamais. Sans doute montra-t-il du repentir ? Nullement ! Quelques années plus tard, Herbert Hoover insinuait, dans un discours, que la mort du président Harding était due à l'angoisse et au tourment qu'il avait soufferts à cause de la trahison d'un ami. Quand madame Fall entendit cela, elle bondit d'indignation, pleura, se tordit les mains, maudit la destinée et cria : « Quoi ! Harding trahi par Fall ? Non ! Non ! Mon mari n'a jamais trahi personne. Cette maison toute pleine d'or ne suffirait pas à le tenter ! C'est lui qu'on a trahi, qu'on a crucifié et mis au pilori ! »

Vous voyez ! Voilà une manifestation typique de la nature humaine : Le coupable qui blâme tout le monde, sauf lui-même. Mais nous sommes tous ainsi faits. Aussi, lorsque demain nous seront tentés de critiquer quelqu'un, rappelons-nous Al Capone, « Two-Gun » Crowley et Albert Fall. Sachons bien que la critique est comme le pigeon voyageur : elle revient toujours à son point de départ. Disons-nous que la personne que nous désirons blâmer et corriger fera tout pour se justifier et nous condamnera en retour. Ou bien, comme tant d'autres, elle s'exclamera : « Je ne vois pas comment j'aurais pu agir autrement. »

Le samedi matin 15 avril 1865, Abraham Lincoln agonisait dans la misérable chambre d'un hôtel juste en face du théâtre Ford où Booth, un exalté politique, l'avait abattu d'une balle de revolver. Le long corps de Lincoln reposait en travers du lit trop court. Une reproduction en chromo du tableau de Rosa Bonheur, *La Foire aux Chevaux,* était suspendue au mur, et un manchon à gaz éclairait lugubrement la scène de sa lueur jaune.

Tandis que Lincoln achevait de mourir, Stanton, le ministre de la Guerre, qui était présent, dit : « Voilà le plus parfait manieur d'hommes que le monde ait jamais connu. »

Quel fut le secret de Lincoln ? Comment s'y prenait-il pour avoir de l'empire sur les êtres ? Pendant dix ans, j'ai étudié la vie d'Abraham Lincoln, j'ai passé trois ans à écrire un livre intitulé *Lincoln l'inconnu.* Je crois avoir fait de sa personnalité, de sa vie intime, une étude aussi détaillée et complète qu'il était humainement possible de le faire. J'ai spécialement analysé les méthodes qu'il appliquait dans ses rapports avec ses semblables. Aimait-il à critiquer ? Oh ! oui. Au temps de sa jeunesse, quand il habitait Pigeon Creek Valley, dans l'État d'Indiana, il allait jusqu'à écrire des épigrammes, des lettres, où il ridiculisait certaines personnes, et qu'il laissait tomber sur les routes où il espérait que les intéressés les trouveraient. L'une de ces lettres suscita des rancunes qui durèrent toute une vie.

Plus tard, même, devenu avoué à Springfield, dans l'Illinois, il provoquait ses adversaires dans des lettres ouvertes aux journaux. Toutefois, un jour vint où la mesure fut comble...

En 1842, il s'attaqua à un politicien irlandais vaniteux et batailleur, du nom de James Shields. Il le ridiculisa outrageusement dans le *Springfield Journal.* Un rire immense secoua la ville. Shields, fier et sensitif, bondit sous l'outrage. Il découvrit l'auteur de la lettre, sauta sur son cheval, trouva Lincoln et le provoqua en duel ; Lincoln ne voulait pas se battre ; il était opposé au duel, mais il ne pouvait l'éviter et sauver son honneur. On lui laissa le choix des armes. Comme il avait de longs bras, il se décida pour l'épée de cavalerie et prit des leçons d'escrime. Au jour dit, les deux adversaires se rencontrèrent sur les bords du Mississippi, prêts à se battre jusqu'à la mort. Heureusement, à la dernière minute, les témoins intervinrent et arrêtèrent le duel.

Ce fut l'incident le plus tragique de la vie privée de Lincoln. Il en tira une précieuse leçon sur la manière de traiter ses semblables. Jamais plus il n'écrivit une lettre d'insultes ou de sarcasmes. À partir de ce moment, il se garda de critiquer les autres.

Pendant la guerre de Sécession, Lincoln dut, à maintes reprises, changer les généraux qui étaient à la tête de l'armée de Potomac ; chacun à leur tour, ils commettaient de funestes erreurs et plongeaient Lincoln dans le désespoir. La moitié du pays maudissait férocement ces généraux incapables. Cependant, Lincoln, « sans malice aucune et charitable envers tous », restait modéré dans ses propos. Une de ses citations préférées était celle-ci : « Ne juge pas si tu ne veux point être jugé. »

Et lorsque madame Lincoln ou d'autres blâmaient sévèrement les Sudistes, Lincoln répondait : « Ne les condamnez point, dans les mêmes circonstances, nous aurions agi exactement comme eux. »

Cependant, si jamais homme eut lieu de critiquer, ce fut bien Lincoln. Écoutez plutôt ceci :

La bataille de Gettysburg se poursuivit pendant les trois premiers jours de juillet 1863. Dans la nuit du 4, le général Lee ordonna la retraite vers le sud, tandis que les pluies torrentielles noyaient le pays. Quand Lee atteignit le Potomac à la tête de son armée vaincue, il fut arrêté par le fleuve grossi et infranchissable. Derrière lui, se trouvait l'armée victorieuse des Nordistes. Il se trouvait pris dans un piège. La fuite était impossible. Lincoln comprit cela ; il aperçut cette chance unique, cette aubaine inespérée : la possibilité de capturer Lee immédiatement et de mettre un terme aux hostilités. Aussi, plein d'un immense espoir, télégraphia-t-il au général Meade d'attaquer sur l'heure sans réunir le Conseil de guerre. Il envoya aussi un messager pour confirmer son ordre.

Et que fit le général Meade ? Il fit exactement le contraire de ce qu'on lui demandait. Il réunit un Conseil de guerre malgré la défense de Lincoln. Il hésita, tergiversa. Il refusa tout net d'attaquer Lee. Pendant ce temps, les eaux se retirèrent et Lee put s'échapper avec ses hommes sur le Potomac.

Lincoln était furieux. « Grands dieux ! qu'est-ce que cela veut dire ? » criait-il à son fils Robert. « Nous les tenions ; nous n'avions qu'à étendre la main pour les cueillir et pourtant, malgré mes ordres pressants, notre armée n'a rien fait. Dans des circonstances pareilles, n'importe quel général aurait pu vaincre Lee. Moi-même, si j'avais été là-bas, j'aurais pu le battre ! »

Plein de rancune, Lincoln écrivit à Meade la lettre suivante. Rappelez-vous qu'à cette époque de sa vie il était très tolérant et fort modéré dans ses paroles. Donc, les lignes suivantes constituaient, pour un homme comme lui, le plus amer des reproches :

« Mon cher général,

« Je ne crois pas que vous appréciez toute l'étendue du désastre causé par la fuite de Lee. Il était à portée de la main et, si vous l'aviez attaqué, votre prompt assaut, succédant à nos précédentes victoires, aurait amené la fin de la guerre. Maintenant, au contraire, elle va se prolonger indéfiniment. Si vous n'avez pu combattre Lee, lundi dernier, comment pourrez-vous l'attaquer de l'autre côté du fleuve, avec deux tiers seulement des forces dont vous disposiez alors ? Il ne serait pas raisonnable d'espérer, et je n'espère pas, que vous pourrez accomplir maintenant des progrès sensibles. Votre plus belle chance est passée, et vous m'en voyez infiniment désolé. »

Que fit, à votre avis, Meade, en lisant cette lettre ? Meade ne vit jamais cette lettre. Lincoln ne l'expédia pas. Elle fut trouvée dans ses papiers après sa mort.

Je suppose, et ce n'est qu'une supposition, qu'après avoir terminé sa missive, Lincoln se mit à regarder par la fenêtre et se dit : « Un moment... Ne soyons pas si pressé... Il m'est facile, à moi, assis tranquillement à la Maison-Blanche, de commander à Meade d'attaquer ; mais si j'avais été à Gettysburg et si j'avais vu autant de sang que Meade en a vu, si mes oreilles avaient été transpercées par les cris des blessés et des mourants, peut-être, comme lui, aurais-je montré moins d'ardeur à courir à l'assaut. Si j'avais le caractère timide de Meade, j'aurais sans doute agi exactement comme lui. Enfin, ce qui est fait est fait. Si je lui envoie cette lettre, cela me soulagera, mais cela lui donnera l'envie de se justifier ; c'est moi qu'il condamnera. Il aura contre moi de l'hostilité et du ressentiment ; il perdra la confiance en soi-même, sans laquelle il n'est pas de chef, et peut-être en viendra-t-il même à quitter l'armée. »

C'est pourquoi, comme je l'ai dit plus haut, Lincoln rangea sa lettre, car une amère expérience lui avait appris que les reproches et les accusations sévères demeurent presque toujours vains.

Théodore Roosevelt contait qu'au temps de sa présidence, lorsqu'il se trouvait en face de quelque conjoncture embarrassante, il se renversait dans son fauteuil, levait les yeux vers un grand portrait de Lincoln suspendu au mur, et se disait : « Que ferait Lincoln s'il était à ma place ? Comment résoudrait-il ce problème ? »

Alors, la prochaine fois que nous serons tentés de « passer un bon savon à quelqu'un », pensons à Lincoln et demandons-nous : « Que ferait-il à notre place ? »

Connaissez-vous une personne que vous voudriez bien réformer ? Oui ? Parfait ! C'est une excellente idée. Mais pourquoi ne pas commencer par vous-même ? Ce serait beaucoup plus profitable que d'essayer de corriger les autres, et... beaucoup moins dangereux.

« Quand le combat commence en nous-même, nous allons vers la perfection », disait le poète anglais Robert Browning. Il nous faudra bien d'ici à la Noël pour nous perfectionner. Pendant les fêtes, prenons un repos bien gagné, puis nous aurons toute l'année à venir pour critiquer et amender nos semblables !

Mais commençons par nous corriger nous-même.

Confucius disait : « Ne te plains pas de la neige qui se trouve sur le toit du voisin quand ton propre seuil est malpropre. »

Quand j'étais jeune, j'étais fort prétentieux et je m'efforçais d'impressionner tout le monde. Un jour, j'adressai une lettre stupide à Richard Harding Davis, écrivain qui eut son temps de célébrité dans la littérature américaine. Je préparais un article sur les méthodes de travail des hommes de lettres et je priai Davis de me renseigner sur les siennes. Malheureusement, quelques semaines plus tôt, j'avais reçu une lettre d'une personne qui avait ajouté cette annotation : « Dicté mais non relu. » Cette formule m'avait plu. Voilà qui vous donnait l'air d'un personnage important, accablé de besogne ! Pour moi, j'étais bien loin d'être aussi occupé, mais je désirais tant me grandir aux yeux de Richard Harding Davis, que je terminai aussi ma brève note par les mots : « Dicté mais non relu. »

Le romancier ne répondit jamais à ma lettre. Il me la retourna simplement ornée de cette observation : « Votre grossièreté n'est égalée que par votre stupidité. » C'est vrai, j'avais fait une gaffe, j'avais sans doute mérité cet affront. Mais, c'est humain, je détestais Davis pour l'humiliation qu'il m'avait infligée. Et ma rancune demeura si vivace que, lorsque j'appris sa mort dix ans plus tard, le seul souvenir qui se réveilla dans mon esprit, j'ai honte de l'avouer, ce fut le mal qu'il m'avait fait.

Si vous voulez demain faire naître des rancunes qui brûleront pendant des lustres et persisteront peut-être jusqu'à la mort, adressez à ceux qui vous entourent quelques cinglantes critiques. Vous verrez le résultat, même si ces critiques sont parfaitement justifiées à vos yeux !

Quand vous vous adressez à un homme, rappelez-vous que vous ne parlez pas à un être logique ; vous parlez à un être d'émotion, à une créature tout hérissée de préventions et mue par son orgueil et par son amour-propre.

La critique est une étincelle dangereuse, une étincelle qui peut causer une explosion dans la poudrière de la vanité. Ces explosions-là ont parfois hâté la mort de certains hommes. Prenez le cas du général Leonard Wood, à qui l'on refusa l'autorisation d'aller se battre en France. Ce coup terrible porté à son orgueil abrégea probablement ses jours.

À cause des critiques féroces dont on l'avait accablé, le sensible Thomas Hardy, un des écrivains les plus remarquables de la littérature anglaise, abandonna pour toujours son métier de romancier. Et c'est la médisance qui conduisit au suicide le poète anglais Thomas Chatterton.

Benjamin Franklin, brutal et maladroit dans sa jeunesse, devint, par la suite, un si fin psychologue, il apprit si bien l'art de manier les hommes, qu'il fut nommé ambassadeur des États-Unis en France. Le secret de son succès ? Le voici : il répétait : « Je ne veux critiquer personne… je veux dire tout le bien que je sais de chacun. »

Le premier sot venu est capable de critiquer, de condamner et de se plaindre ; c'est d'ailleurs ce que font tous les sots.

Mais il faut de la noblesse et de la maîtrise de soi pour comprendre et pardonner.

« Un grand homme montre sa grandeur dans la manière dont il traite les petites gens », disait Carlyle.

Au lieu de condamner les gens, essayons de les comprendre. Essayons de découvrir le mobile de leurs actions. Voilà qui est beaucoup plus profitable et plus agréable que de critiquer, voilà qui nous rend tolérants, compréhensifs et bons. « Tout savoir, c'est tout pardonner. »

Le docteur Johnson ne disait-il pas : « Dieu lui-même, monsieur, ne veut pas juger l'homme avant la fin de ses jours » ?

Pourquoi serions-nous plus exigeants que Dieu ?

*Lorsque vous apprendrez et utiliserez
ce précieux principe de succès,
les résultats que vous obtiendrez
vous fascineront.*

Robert Conklin

Trente-deuxième leçon

Comment amener les gens à vous aider à réussir

Vous venez d'apprendre à quel point il est valable et important de ne pas critiquer les autres.

Les individus blessés par vos paroles ou vos gestes irréfléchis, travaillant et conspirant contre vous, ne contribueront qu'à vous nuire sur le plan personnel et professionnel.

Maintenant, comment pouvez-vous amener les autres à vous aider plutôt qu'à vous nuire ? Comment les amener dans votre coin afin qu'ils vous encouragent et vous poussent vers la victoire ? Comment les convaincre de vous donner ce que vous voulez sans faire appel à la force, la crainte ou la manipulation ? En fait, comment amener les gens à faire quoi que ce soit ?

Comme pour toutes les autres grandes vérités, la réponse est simple ; si simple que nous ne la voyons pas dans notre recherche d'une réponse plus sophistiquée et plus complexe à ce problème que constitue le moyen d'amener les autres à nous donner ce que nous voulons ou à progresser dans la direction que nous désirons. Les entraîneurs, directeurs, cadres supérieurs, négociateurs, chefs de service, professeurs, leaders religieux et, oui, les parents, tout ce monde recherche le «bouton de commande» chez les autres qui leur facilitera la tâche alors que les séminaires sur la motivation se multiplient à travers le pays, des séminaires coûteux qui enseignent, en deux ou trois jours, une technique qu'un maître vous apprendra au cours des quelques minutes qui suivent.

Robert Conklin est auteur, professeur, conférencier de renommée nationale et président du conseil de deux entreprises. Chaque année des milliers de personnes tirent profit de ses nombreux programmes de motivation, et cette leçon révélatrice, tirée de son excellent ouvrage intitulé *Motivez les gens à agir*, vaudra peut-être plusieurs milliers de fois ce qu'il vous en a coûté pour vous joindre à cette université, à condition que vous compreniez bien le concept et que vous l'utilisiez chaque jour.

La réalisation du succès n'est jamais une performance solo, comme ceux qui ont emprunté cette voie vous le diront. Il y a une façon plus facile et bien meilleure de voyager, et la distance que vous parcourerez dépendra, dans une large mesure, de l'effort que vous consacrerez à cette leçon.

«Donc, dans la mesure où vous donnez aux autres ce qu'ils veulent, ils vous donneront ce que vous voulez.»

C'est par ces mots que Bill Stilwell, du Management Institute de l'Université du Wisconsin, résumait une conférence de deux jours sur la motivation et la persuasion.

J'ai pris un crayon et j'ai noté cette phrase. C'était l'une de ces pensées rares, précieuses, profondes, qui peuvent changer le cours de la vie d'un individu.

Je me désolai de ne pas l'avoir entendue plusieurs années plus tôt.

Dans la mesure où vous donnez aux autres ce qu'ils veulent, ils vous donneront ce que vous voulez !

Il s'agit de la clé qui vous permet de convaincre, de diriger, de motiver, de vendre, d'influencer, de guider les autres, d'amener les gens à agir pour vous.

Vous pouvez lire tous les livres, suivre tous les cours, dépenser des milliers de dollars à la poursuite des secrets permettant d'influencer les pensées et le comportement des autres, et vous découvrirez que cette simple phrase peut tout résumer.

Dans la mesure où vous donnez aux autres ce qu'ils veulent, ils vous donneront ce que vous voulez !

Cela semble incroyablement simple. C'est peut-être le cas, si vous le comprenez. Mais peu de gens comprennent. Car la règle implique certains éléments que vous devez connaître et appliquer avant que vous en tiriez profit. Autrement, le principe semble donner des résultats inverses : Les gens vous résistent, agissent contre vous, font ce que vous ne voulez pas qu'ils fassent.

Par exemple, vous devez *d'abord* donner aux autres ce qu'ils veulent. Ensuite, eux vont vous donner ce que vous voulez. La plupart des gens font le contraire.

Un homme se dit : « Je donnerais à ma femme une boîte de chocolats si elle me prodiguait plus d'affection. »

Un employeur croit qu'un travailleur doit être félicité et récompensé après avoir fait davantage d'efforts.

« J'aurai confiance en mes enfants lorsqu'ils obtiendront de bonnes notes à l'école », déclare un père.

« J'aimerais bien plus Georges s'il n'était pas si froid et grognon », pense Maude.

Un représentant confie à un directeur : « Oh ! ce que je serais content si je décrochais le contrat de Flanex ! »

Ces gens appliquent la formule à l'envers.

L'homme doit *commencer* par donner à sa femme des chocolats ; il obtiendra ensuite plus d'affection.

L'employeur doit féliciter et récompenser *d'abord* pour que l'employé fasse plus d'efforts.

Le père doit manifester *d'abord* de la confiance envers ses enfants ; ensuite, ils se mettront à obtenir de meilleures notes.

Maude doit être plus chaleureuse envers Georges pour que son indifférence et sa mauvaise humeur s'estompent.

Le représentant doit être enthousiaste *d'abord* ; ensuite, il décrochera de gros contrats.

Donc, c'est ainsi que la loi fonctionne. Vous donnez *d'abord* aux autres ce qu'ils veulent ; ensuite, ils vous donneront ce que vous voulez.

Bien sûr, il faut de la patience. Et quelques autres éléments.

Comme de savoir précisément ce que veulent les gens. (Nous y viendrons plus tard.) Et de savoir *comment* leur donner ce qu'ils veulent. (Nous y viendrons également plus tard.) Et de savoir ce que vous voulez et ce que vous êtes disposé à donner pour l'obtenir. Nous allons y venir dès maintenant.

Parce que si vous voulez manipuler et diriger les gens pour votre propre satisfaction, si vous voulez flatter votre ego en ayant de l'autorité sur les gens vulnérables, si vous cherchez à manœuvrer les gens pour qu'ils achètent des choses dont ils n'ont pas besoin, si vous sentez le besoin de dominer et de soumettre les autres (même à l'intérieur de votre propre famille) et si vous cherchez des commandes psychologiques pour arriver à vos fins... vous ne lisez pas le bon livre.

Car malgré son titre, ce livre ne parle pas d'obtenir, mais de donner, et d'aimer, et de réussir. De fait, il traite de réussite exceptionnelle. Car si vous pouvez amener les autres à faire des choses dans la joie et l'harmonie, si vous pouvez les aider à croître et à s'améliorer plus qu'ils ne l'ont jamais fait, vous possédez l'un des talents les plus précieux qui soient. Le monde a besoin de vous. Il vous récompensera beaucoup matériellement ou émotivement, il *vous* donnera ce que *vous* voulez.

Les gens prennent la mauvaise direction

Étant donné les possibilités qui s'offrent, pourquoi les gens ne vont-ils pas plus loin ? Cela est probablement dû au fait que la route bifurque. Les gens prennent l'une des deux directions qui s'offrent. Ils ne sont concernés que par ce qu'ils veulent ou par ce que les autres veulent. L'un ou l'autre. Leurs désirs ou ceux des autres. Plusieurs sont tellement aveuglés par leurs désirs personnels qu'ils pensent très peu à combler les besoins des autres.

Marie sait ce qu'elle désire de son mari, mais ce que lui désire ne la préoccupe jamais.

Le contremaître sait qu'il veut que ces boulons soient serrés pendant que la carosserie parcourt la ligne d'assemblage, mais que veut celui qui est chargé de les serrer ?

Les parents savent ce qu'ils veulent que leurs enfants deviennent, mais sont-ils aussi préoccupés par les besoins des enfants (besoins affectifs, bien sûr) ?

Le représentant désire fortement vendre la cuisinière, mais il a presque peur de demander au client ce qu'il désire, craignant que le produit ne soit pas adéquat.

Paul est d'avis que Jeanne ne l'aime pas comme il le voudrait. Peut-être n'est-il pas conscient de ses désirs et de ses besoins à elle.

Le professeur veut que cet adolescent amorphe et somnolent soit plus attentif, mais que désire ce dernier ? Y a-t-on accordé suffisamment d'importance ?

Et c'est ainsi que ça se passe. Chacun exige quelque chose des autres et se fâche de ne pas l'obtenir.

Savez-vous ce qui se produit souvent, alors ? Les gens appliquent la règle à l'envers. Ils tentent de punir les gens, ce que ceux-ci ne veulent *pas*, pour obtenir ce qu'ils veulent.

Le climat se refroidit lorsque Marie n'obtient pas ce qu'elle attend de François. Le contremaître s'en prend au travailleur chargé de serrer les boulons. Les parents semoncent, frappent et menacent lorsque les enfants s'écartent de leurs attentes. Le représentant est intarissable, alors que le client hésite. « Peut-être Jeanne s'améliorera-t-elle si je la rends un peu jalouse », se dit Paul. Et le professeur menace, humilie et punit afin de lutter contre la léthargie, mais en vain, de l'adolescent.

Voilà l'histoire de l'être humain à l'intérieur d'une société hautement individualiste. Divorces, familles brisées, changements fréquents de personnel, maladies cardiaques, carrières ratées, rêves écroulés, vies ennuyeuses, tout cela à cause de la difficulté à entretenir de bons rapports avec les autres.

Découvrez ce que veulent les gens.

Aidez-les ensuite à l'obtenir.

C'est ainsi que vous pourrez vous tirer de la plupart de ces situations difficiles !

C'est une autre façon de décrire la règle, ou du moins la première partie de celle-ci, qui est : Dans la mesure où vous donnez aux autres ce qu'ils veulent...

Substituez besoin à désir

J'observe depuis nombre d'années déjà à quel point cette règle fonctionne bien. Je suis plus engagé et plus enthousiaste maintenant que la première fois que j'ai entendu la phrase. Grâce à elle, les joies se sont multipliées dans ma vie personnelle. J'ai eu des moments difficiles lorsque mes émotions m'empêchaient d'utiliser la règle.

Je n'apporterais qu'un changement à la formule. Je remplacerais le mot désir par besoin.

Les désirs et les besoins sont deux choses distinctes. Les désirs sont des forces frivoles, pointilleuses et souvent cupides qui ne sont jamais satisfaites. Comblez un désir et deux autres viennent aussitôt le remplacer.

Mais les besoins sont plus profonds. Ils sont sensés, valables et pas aussi capricieux que les désirs.

Les gens désirent de la sympathie ; ils ont besoin d'empathie.

Les gens désirent des richesses ; ils ont besoin de satisfaction de soi.

Les gens désirent de grosses automobiles et de luxueuses maisons ; ils ont besoin de transport et d'abris.

Les gens désirent la gloire ; ils ont besoin de reconnaissance.

Les gens désirent la puissance ; ils ont besoin d'appui et de coopération.

Les gens désirent dominer ; ils ont besoin d'influencer et de guider.

Les gens désirent du prestige ; ils ont besoin de respect.

Les enfants désirent la liberté et la permissivité ; ils ont besoin de discipline.

Les gens désirent entretenir des relations superficielles avec les autres ; ils ont besoin d'honnêteté et de réalisme.

Les gens désirent la facilité et le confort ; ils ont besoin de réalisations et de travail.

Les gens désirent être adorés ; ils ont besoin d'être aimés.

Alors disons : « Dans la mesure où vous donnez aux autres ce dont ils ont besoin, ils vous donneront ce dont vous avez besoin. »

Réfléchissons à cela. De quoi les gens ont-ils vraiment besoin ? De quoi vous et moi avons-nous vraiment besoin ? Pour le découvrir, nous devons nous rapprocher. Mais nous pouvons le faire.

Il y a, en effet, peu de rapports plus intimes que ceux qui existent entre un auteur et un lecteur. La relation est silencieuse : nulle interruption verbale, nul détour. C'est une conversation très privée entre deux personnes, jamais plus. S'il est sincère, l'auteur parle avec son cœur, de la manière la plus compréhensible possible, au lecteur. Le lecteur peut rejeter, accepter, poser, pondérer, relire, réagir comme il le veut, sans aucun des risques inhérents aux autres types de communication.

C'est une association chaleureuse, merveilleuse. Pour ma part, j'en apprécierai chaque mot. J'espère qu'il en est de même pour vous. J'aimerais être votre ami. Cela signifie que je dois m'ouvrir et me révéler à vous. Si je le fais, non seulement me connaîtrez-vous, mais vous apprendrez aussi à vous connaître beaucoup mieux. Et les autres aussi. Nous appelons cela « entretenir des rapports ».

C'est de cette manière que vous découvrirez ce dont les autres ont besoin, pour mettre en pratique notre formule : Dans la mesure où vous donnez aux autres ce dont ils ont besoin, ils vous donneront ce dont vous avez besoin. Entretenez des rapports. Ouvrez-vous. Enlevez votre masque et les autres en feront autant.

Me connaître, c'est vous connaître

Permettez-moi d'enlever mon masque. Vous verrez ce que je veux dire, car en vous révélant mes besoins, vous découvrirez que je parle aussi de vous et de vos besoins. Je commencerai en disant :

« Aimez-moi !

« Donnez-moi quelqu'un, dans mon périple à travers la vie, qui a à cœur mon bien-être, quelqu'un qui me choisisse dans la foule, qui me remarque, se souvienne de moi et me persuade que je suis spécial. »

C'est une requête que pourrait faire à peu près tout être humain. C'est le besoin le plus important de la vie.

L'amour est l'essence du cœur. C'est le sens, la joie, les vallées et les montagnes de l'être.

L'amour rafraîchit le corps, nourrit l'âme, forme l'esprit et glorifie la pensée. C'est le rire du cœur, le lever de soleil de tous les instants.

Par-dessus tout, l'amour est un sentiment. C'est pourquoi il est si essentiel au pouls de la vie, car les gens sont des êtres dotés de sentiments. Tout ce qu'ils font porte l'empreinte de leurs émotions.

J'aimerais vous en dire plus concernant mes sentiments, les classer, les énumérer selon leur intensité et trouver des mots pour qu'ils soient parfaitement compréhensibles. Mais cela serait un peu comme de tenter de décrire le goût d'un champignon. C'est impossible.

Je ne connais que mes propres sentiments, pas les vôtres. On ne peut jamais savoir exactement ce que ressent une autre personne. Je peux rire avec vous, pleurer avec vous, me réjouir avec vous ou me désespérer avec vous. C'est de l'empathie. Mais nul ne peut ressentir exactement ce qu'un autre ressent.

Vous seul connaissez vos sentiments. Et moi seul connais les miens, encore que nous ne puissions même pas les expliquer clairement.

Mais si nous pouvons échanger nos pensées intérieures, nous serons capables de comparer, de comprendre et d'accepter bien mieux ce que nous sommes. Et cela nous aidera à nous entendre mutuellement, à nous entendre avec nos proches.

Alors je vais vous parler de mes sentiments et peut-être cela vous aidera-t-il à voir plus clairement les vôtres.

Nous ne grandissons jamais vraiment

Beaucoup de mes sentiments m'ont été inculqués très tôt dans la vie. Plus je vieillis et plus cela m'impressionne. Maintenant que je suis un adulte raisonnable, il semble que j'aurais dû oublier mon enfance. Mais il n'en est rien. Je sais maintenant que cela ne se produira jamais.

Mon enfance a été un combat pour me faire des amis, être accepté, aimé et apprécié. Comme chez les poulets, les enfants étaient soumis à un ordre bien précis. Quel était le plus brillant, le plus drôle, le plus fort, le plus joli ou le plus populaire ? Qui était plus rapide à la course, plus fort pour lancer des pierres, qui pouvait retenir son souffle le plus longtemps ou gagner le plus de billes ?

Je n'étais certainement pas parmi les premiers. Mais pour la plupart, les autres enfants étaient aussi ordinaires, réagissant sensiblement comme moi. À cet âge, on ne parle pas de sentiments d'infériorité, d'insuffisance.

Alors à certains moments j'avais l'impression d'être seul, isolé du monde entier.

Et, comme pour ajouter à mon désarroi, la critique, le rejet ou l'échec intensifiaient cette conviction. Je ne le laissais pas paraître, parce que c'était pour moi une honte, un signe de faiblesse, la preuve, peut-être, que je ne méritais pas de surpasser les autres.

Je m'accrochais fermement à la moindre marque d'amour ou de reconnaissance. Par exemple le commentaire de Jennie Murphy, mon professeur d'anglais de huitième année, qui me suggéra d'écrire.

« Tu es un peu comme Abraham Lincoln, disait-elle. Tu en dis beaucoup en peu de mots. » Un instant plus tard, elle me révélait savoir que j'étais l'un de ceux qui étaient allés frapper chez elle le soir de l'Halloween. Quelle personne magnifique ! Elle fut le seul professeur, au cours de mes seize années d'école, qui m'ait fait un commentaire positif concernant mes capacités académiques.

Pas étonnant qu'à certaines époques, je me sois trouvé complexé, demeuré et idiot, que je me sois cru dans la moyenne au plan intellectuel.

Je suppose que le gland a sans cesse besoin de la terre, de l'humidité et de l'air, même une fois devenu chêne. Alors je me retrouve aujourd'hui, adulte, découvrant que mes besoins ont bien peu changé depuis cette période si lointaine.

J'ai encore besoin d'être apprécié et accepté.

La louange m'enchante encore, alors que la critique et le rejet m'affectent.

Il m'arrive encore de me sentir seul, non pas lorsque je suis seul ou en compagnie de quelqu'un que je connais bien, mais lorsque des étrangers m'entourent. Dans un centre commercial achalandé, par exemple, je me sens mal à l'aise, isolé des autres. Il me semble que les gens ne me voient pas comme un être humain, mais comme un objet. J'ai besoin d'apercevoir un visage ami, de croiser un regard qui me dit « bonjour » plutôt que « ne m'approche pas ». C'est sans doute pourquoi j'aime tant l'accueil chaleureux et le sourire de l'employé qui me sert dans un magasin. Cela me tire momentanément de ma solitude.

Il y a de courts moments où j'ai vraiment besoin d'être aimé. Je ne parle pas d'amour physique, bien que cela soit important. Je parle de communication et d'émotions. Ces périodes surviennent généralement lorsque j'ai été intensément impliqué avec des gens pendant longtemps. C'est comme si je recherchais une trêve, une pause-café, un repos accordé par la vie. Je veux savoir que tous mes efforts, mes recherches d'amour ont atteint leur but. Je dois tendre vers quelqu'un que mon bien-être préoccupe et me retrouver tout simplement avec cette personne, dans le calme et la facilité, me sentant aimé.

J'ai donc découvert que la plupart des choses que j'exige de la vie, je dois les obtenir des gens. La vie serait plus simple si je pouvais dire que je n'ai pas besoin des autres, qu'il me suffit de mon Dieu, de mon travail, de mon jogging, de mes randonnées en canot parmi les nénuphars de la baie, de contempler le sommet des montagnes, ou simplement d'être seul.

J'aime profondément et sereinement tout cela, mais ma vie serait vide si je n'avais que cela. Je veux confier mes expériences à d'autres. Je dois me partager avec les autres.

Il me reste beaucoup à faire de ma vie. J'ai besoin de l'aide des autres. J'ai besoin que les gens me remarquent, m'encouragent, m'acceptent, me félicitent et aient à cœur mon bien-être.

Peut-être dites-vous : « Mais vous avez tout cela. Ne le savez-vous pas ? »

Et je répondrai : « Oui, je sais cela, logiquement. Vous faites partie de mon entourage depuis longtemps, alors je sais que vous êtes mon ami. Vous m'avez épousé, vous travaillez avec moi, vous faites le plein d'essence de ma voiture ou vous jouez au golf avec moi. Alors je sais que vous devez être mon ami.

« Mais émotionnellement, je ne le sais pas, à moins que vous me le communiquiez et que j'en fasse l'expérience. Si vous m'aimez, touchez-moi. Si vous appréciez ma compagnie, souriez-moi. Si je vous manque, écrivez-moi. Alors mon esprit et mes sentiments connaîtront notre amour et notre amitié. Vous m'aiderez. Car l'énergie de ma vie réside dans mon émotion. C'est la substance qui me pousse à réaliser des choses, à croître, à travailler, à progresser et à faire mieux qu'hier.

« Et lorsque vous faites cela pour moi, je me sens comme un petit chien. Flattez-moi, donnez-moi de l'affection et je montrerai des signes de joie, je sauterai, je vous suivrai et je ferai ce que vous me demanderez de faire. Mais vos caresses et votre affection doivent être vraies. Car, tout comme le petit chien, je le devinerai. Si votre attention est une feinte pour me manipuler, je le découvrirai et je résisterai. »

Sommes-nous semblables ?

Ce n'est pas facile pour moi de me révéler ainsi. Nous sommes semblables, vous et moi, à cet égard. Nous dissimulons notre vraie nature. Nous cachons notre insécurité, nos doutes, nos faiblesses et nos besoins. Peut-être pensons-nous : « Je ne veux pas que l'on me donne ce dont j'ai besoin parce que je l'ai demandé. Je ne veux ni pitié ni charité. Je veux de l'amour et du respect. » Alors nous dissimulons nos plus profonds désirs, nous assurant de mériter ce que nous attendons des autres. Peut-être est-ce correct. Quoi qu'il en soit, c'est ainsi.

Alors pourquoi est-ce que je prends le temps de vous dire tout cela ?

Parce que je ne crois pas que vous soyez très différent de moi. Peut-être avons-nous emprunté des routes différentes pour devenir ce que nous sommes. Nos émotions varient peut-être. Mais sous la surface, nous nous ressemblons vraiment.

Nous voulons être indispensables, nous voulons être aimés. Nous voulons être importants pour quelqu'un. Nous avons besoin d'appréciation, de satisfaction, de reconnaissance, d'acceptation et de beaucoup d'autres choses que nous recherchons ardemment.

La plupart des gens sont comme vous et moi. Souvenez-vous que, dans la mesure où vous donnez aux autres ce dont ils ont besoin, ils vous donneront ce dont vous avez besoin.

De quoi les autres ont-ils besoin ? Regardez attentivement en vous-même et vous découvrirez les besoins des autres. Leurs besoins et les vôtres sont identiques. Ce qui vous tient le plus à cœur, émotionnellement, eux aussi l'ont à cœur. Vous êtes votre propre baromètre, votre propre appareil de mesure de ce que vous avez besoin de donner pour obtenir de la vie ce dont vous avez besoin.

Vous obtenez ce que vous consacrez

Vous avez maintenant la clé permettant d'amener les gens à agir pour vous. C'est simple, n'est-ce pas ? C'est vrai. Cela ressemble au cours normal de la vie. Vous êtes né dans un océan de vie, dans l'harmonie avec les autres. Vous réussissez généralement mieux lorsque vous travaillez avec les autres, dans la coopération, la confiance mutuelle, la joie et la satisfaction.

Les principes sont si simples qu'un enfant peut s'en servir. Quelle que soit votre personnalité, vous avez la capacité de mieux vous entendre avec les gens, mais seulement par le don et le partage de vous-même.

Cela me rappelle l'histoire de cet homme qui vivait dans une région pauvre et montagneuse. Six jours par semaine, il était ouvrier, et le septième il était prêtre. Il s'agissait d'une communauté rurale juchée dans les collines. Le seul argent qu'il touchait provenait de la quête matinale. Un dimanche, sa petite fille de six ans l'assista à l'office. À l'intérieur de la petite église, il y avait, à l'entrée, une table sur laquelle se trouvait le panier des offrandes. En entrant, la petite fille vit son père déposer un demi-dollar dans le panier avant que les gens n'arrivent.

Après l'office, une fois les fidèles partis, l'homme et sa fille jetèrent un coup d'œil dans le panier et découvrirent qu'il n'y avait que le demi-dollar que l'homme y avait mis.

Après un court moment de silence, la petite fille dit : « Tu sais, papa, si tu en avais mis plus, il y en aurait plus dans le panier ! »

Voici sept suggestions qui vous libéreront de la prison que constitue votre existence terne, passive et soumise et qui permettront au tigre qui est en vous de commencer à s'affirmer.

Nena et George O'Neil

Trente-troisième leçon

Comment prendre en charge votre vie

Vous n'avez qu'une vie à vivre.

La vivez-vous dans le respect de vous-même, avec un but, avec une stratégie de croissance continue, ou êtes-vous à peine plus qu'un pantin que les autres manipulent?

Le mouton, pour se protéger, reste toujours avec son troupeau. Tout désir d'aventure ou d'exploration, ou même de nourriture et d'eau, est atténué par la notion du danger qui rôde au-delà du cercle protecteur du groupe.

Pourquoi y en a-t-il tant parmi nous qui agissent comme des moutons? Pourquoi abandonnons-nous la gestion de notre vie aux autres et traversons-nous chaque jour d'une démarche hésitante, attendant simplement qu'on nous ordonne de sauter, de plier l'échine ou de travailler pour notre pitance?

Chaque fois que nous laissons les autres diriger notre vie, nous remettons notre avenir entre leurs mains, nous abandonnons notre droit de choisir ce qui nous est bénéfique et nous nous privons de toute occasion de croissance. Sans but, sans priorité, sans stratégie de vie propre, nous suivons le troupeau à travers l'interminable pâturage de la médiocrité, incapables de nous libérer et de réaliser la moindre parcelle des rêves que nous avons déjà chéris.

Une telle condition est triste, mais on peut y remédier. Vous pouvez apprendre à gérer votre propre vie, à établir et à poursuivre vos propres buts, à laisser le troupeau loin derrière vous. Vous pouvez apprendre à prendre position, à dire non au lieu de oui, à agir plutôt qu'à subir.

Vous n'êtes pas un mouton et vous n'êtes pas perdu non plus. Toute cette maîtrise de vous-même que vous avez abandonnée, vous pouvez la retrouver et être à nouveau aux commandes de votre destin. Soyez très attentif. Deux auteurs et anthropologues distingués, Nena et George O'Neil, vont vous aider à retrouver votre dignité et votre individualité au cours de cette stimulante leçon tirée de leur livre intitulé *Shifting Gears* [1].

Si nous ne relevons pas le défi de notre unique capacité à modeler notre propre vie, à rechercher le type de croissance que nous trouvons gratifiant pour nous, nous ne pouvons avoir aucune sécurité : Nous sommes condamnés à vivre dans un monde de tromperie dans lequel notre vie dépendra de la volonté des autres, dans lequel nous serons constamment bousculés et de plus en plus isolés par les changements qui nous entourent. Sans choix, il n'y a pas de direction possible ; sans une stratégie de vie qui nous est propre nous perdrons (ou nous ne trouverons jamais) le sens de notre vie et nous deviendrons des nullités, des zéros. Comme le disait l'anthropologue Jules Henry : «Car lorsqu'un homme n'est

---

1. Littéralement : changer de vitesse (N. de T.).

rien, il ne vit qu'au rythme des impacts du monde extérieur ; il est une créature extérieure à elle-même, un élément de crainte ballotté par les vents des circonstances, celles-ci entrant mutuellement en collision, car il s'agit du flux et du reflux de la pensée. Ou alors il est un cyclone de peur dans lequel les impulsions du monde extérieur s'entrechoquent au hasard. Lorsque nous vivons dans un monde de duperie, poursuit Jules Henry, nous n'envisageons pas la réalité ; nous nous bornons à la combattre. »

La réalité du monde qui nous entoure, l'impact du changement y compris, est une entité à laquelle nous devons faire face si nous voulons croître. Nous ne pouvons capituler devant elle ; nous ne pouvons abdiquer notre droit de faire des choix. La seule façon dont nous pouvons éviter d'être submergés et lutter contre les forces qui nous entourent est de trouver notre propre centre, de croire en nous-mêmes, d'ignorer les voix conflictuelles qui nous entourent et d'être à l'écoute de nos voix intérieures. C'est la seule façon dont nous pouvons vraiment faire face au monde extérieur avec courage, conviction et d'une manière significative.

Le fait de laisser le changement survenir sans s'y impliquer activement nous entraîne à abdiquer devant la tyrannie du contrôle extérieur, à la fois dans le sens social et individuel. En perdant notre autonomie et notre liberté de choix nous ressentons de la frustration, de l'isolation, de l'agression et de la violence. Si vous ne vous dirigez pas, des circonstances ou d'autres personnes vous prendront en mains. « Ce dont l'homme moderne a besoin, ce n'est pas la foi dans le sens traditionnel du terme, » comme le disait le philosophe Maurice Friedman, « mais un *point d'appui dans la vie,* un terrain à partir duquel il peut aller affronter les réalités sans cesse changeantes et les absurdités de notre ère. Notre point d'appui est « ... ce terrain personnel et social qui peut nous permettre de supporter la bureaucratisation et la surveillance, de même que les innombrables incursions des forces militaires, industrielles, écologiques, économiques et politiques dans notre vie personnelle. »

Pour établir clairement notre point d'appui, pour découvrir ce que nous sommes, ce que nous croyons et ce pour quoi nous prenons position, nous devons connaître non seulement les grandes lignes de notre stratégie de vie en vue de la croissance et du changement, mais aussi la façon d'intégrer ces grandes lignes et de les mettre à l'œuvre. Une compréhension de la gestion personnelle peut nous aider à accomplir cette intégration de la stratégie de vie.

Prenez position

Prendre position dans la vie, pour votre propre bien, fait partie d'un changement pour le mieux, d'une croissance par le biais de changements instaurés par soi. Il y a sept éléments de la gestion personnelle créatrice qui peuvent vous aider à développer un point d'appui dans la vie :

1. Ne demandez pas de permissions : Agissez.
2. Ne faites jamais de comptes rendus : Vérifiez tout pour vous-même, et non pour les autres.
3. Évitez de vous excuser inutilement : Vous indiquez ainsi aux autres que vous vous rabaissez.
4. Évitez les récriminations : Le syndrome de l'occasion ratée vous empêche d'aller de l'avant.
5. Ne dites pas « Je devrais » ou « Je ne devrais pas ». Demandez-vous « Pourquoi ? » ou « Pourquoi pas ? ».

6. N'ayez pas peur de dire non ou oui : Agissez selon vos pensées et vos sentiments.

7. Ne vous en remettez pas complètement à la volonté d'une autre personne : Prenez vous-même vos propres décisions.

Chacun de ces éléments comporte un aspect négatif parce qu'il est nécessaire de lutter contre notre capitulation trop fréquente devant les dictats culturels et sociaux qui ont notre conformité pour objectif, qui nous disent que la sécurité consiste à être comme les autres plutôt qu'à combler nos besoins individuels par une croissance continue. Mais ce caractère négatif ne signifie pas que nous devions oublier les autres ou ne pas en tenir compte. La vérité est que nous ne pouvons avoir de compréhension et de considération pour les autres que dans la mesure où nous sommes forts. Si nous sommes des nullités régies par les autres, nous n'avons rien à donner aux autres. Ce n'est que lorsque nous commençons à diriger nos propres changements que nous pouvons vraiment nous consacrer aux autres d'une manière attentive et généreuse ; nous consacrer à une personne, un projet ou une situation par indépendance, fiabilité et sécurité, et non pas par souci de nous rabaisser et par faiblesse. Le corollaire de ces éléments : Soyez bon pour vous-même. Bien peu d'entre nous peuvent être bons pour les autres s'ils ne sont pas bons pour eux-mêmes.

Ces éléments nous permettent de changer et de croître de façon créatrice. Il est vrai, bien sûr, qu'en disant non, en ne demandant pas de permission, nous nous exposons à perdre de vieux amis, mais si nos amitiés sont basées sur nos faiblesses plutôt que sur nos forces, quel besoin en avons-nous ? Avec une nouvelle force, nous nous ferons de nouveaux amis qui eux-mêmes seront forts. Si nous croyons nécessaire de blesser quelqu'un pour en arriver à diriger notre vie, cela signifie en fait que nous refusons désormais de nous laisser blesser par cette personne, de la laisser nous empêcher de nous réaliser. Le jour où nous ne laissons plus les autres nous faire du mal, il nous devient possible, grâce à notre nouvelle force, de les aider si nous tenons à eux. Il nous est ensuite plus facile d'accepter un refus sans nous sentir blessés ou rejetés.

Une fois que nous avons commencé à prendre en charge notre vie, à nous appartenir, nous n'avons plus besoin de la permission de qui que ce soit. Si une autre personne risque d'être affectée par ce que vous comptez faire, demandez-lui ce qu'elle en pense. Demandez-lui d'émettre une opinion et servez-vous de cette nouvelle information dans votre prise de décision. Il est important d'être à l'écoute de ces opinions et d'en tenir compte, mais il ne s'agit pas de demander une permission. Demander une permission, c'est accorder à quelqu'un un droit de veto sur votre vie ; au contraire, demander des opinions c'est réunir des informations que vous pourrez opposer à vos besoins, à vos valeurs.

La connaissance de vos valeurs et le fait d'agir conformément à celles-ci signifie que vous êtes devenu autonome, indépendant. Cela ne veut toutefois pas dire que vous ne deviez plus vous préoccuper des autres ou de vos responsabilités en ce qui les concerne. Nous pouvons expliquer aux autres les raisons de nos décisions et de nos actions, ou nos erreurs impulsives et irréfléchies, mais nous devons le faire parce que nous nous préoccupons des autres et non parce que nous nous sentons dominés par eux. Lorsque nous leur donnons des explications, nous avons en fait des égards pour eux, nous les traitons comme des gens dont la maturité est égale à la nôtre. Lorsque les autres n'acceptent pas les explications franches de nos décisions ou de nos actions à cause de problèmes qui leur sont propres, nous ne leur devons pas d'excuses. Des explications, d'accord, mais pas des excuses. S'ils ne mesurent notre valeur qu'à la diligence que nous mettons à nous conformer à leurs désirs, ils nous demandent en fait de n'avoir aucune valeur personnelle. De telles personnes ne sont pas mûres et leurs objections quant à notre cheminement vers la maturité ne sont tout simplement pas valables.

Lorsque vous êtes capable d'accepter la responsabilité de vos actes et pouvez expliquer les raisons de ces actes aux autres, lorsque vous êtes capable d'examiner les aspects positifs et négatifs de votre propre personne et trouver ainsi votre voie vers le changement, les autres doivent aussi accepter votre authenticité à cet égard ; sinon ce sont des dominateurs, des gens qui ne se sentent valables que dans la mesure où vous avez moins de maturité qu'eux, dans la mesure où vous êtes moins sûr de votre valeur qu'ils ne le sont de la leur. La meilleure façon de faire montre de respect envers les autres consiste, en définitive, à vous préoccuper suffisamment d'eux pour leur confier la vérité concernant vos besoins.

Il ne fait aucun doute que certaines personnes n'utiliseront pas de façon appropriée les règles de la gestion personnelle que nous avons énumérées, les mettant au service de ce que l'on appelle faussement être vrai envers soi-même, fonçant aveuglément, sans égards pour les autres. Vous ne devez pas d'explication aux autres, mais si vous êtes incapable ou peu disposé à en fournir, vous ne cheminez pas vers un changement mûri et créatif ; vous essayez simplement de fuir la réalité pour nourrir un caprice personnel qui ne vous oblige pas à tenir compte du monde et de ceux qui vous entourent. Le

psychologue Robert W. White fait remarquer que:
«... Il est tentant de croire que nous pouvons changer
simplement en ouvrant une porte et en nous abandon-
nant à des impulsions vraies et pures.» Mais une telle
utilisation erronée de nos éléments de gestion personnelle ne mène pas au changement. Citons à nouveau
White:

> Le changement n'est jamais facile. Ce qu'il implique
> n'est pas la manifestation d'un moi «vrai», mais la
> fabrication d'un moi nouveau; un moi qui puisse
> transcender graduellement les limitations et la
> médiocrité de l'ancien moi. Cela ne peut se produire
> qu'en adoptant un comportement différent dans nos
> rapports avec les autres. Il faut mettre au point de
> nouvelles stratégies qui puissent exprimer les nouvel-
> les intentions et encourager les autres à prendre part
> à ces relations humaines améliorées.

Les éléments de gestion personnelle que nous avons
développés constituent donc un outil, une nouvelle stratégie portant sur les rapports avec les autres et nous permettant d'exprimer nos propres besoins en dépit de nos
inhibitions culturelles à cet égard. Ces éléments expri-
ment une nouvelle intention, et lorsqu'ils s'accompagnent d'une explication attentionnée de nos actes, ils
peuvent effectivement encourager les autres à participer
au changement créatif.

Mais, tout comme il est important que vous ne
demandiez pas de permission, que vous vous consultiez
vous-même plutôt que de consulter les autres et que
vous ne vous excusiez pas inutilement, il est également
important de ne pas vous reprocher vos échecs passés.
En vous faisant des excuses, vous vous diminuez et vous
êtes porté à faire des excuses aux autres; si vous consa-

crez du temps à vous faire des reproches, à nourrir du remords concernant les occasions ratées de votre vie, vous ne vous dominez pas, mais vous laissez le passé vous dominer. Le passé vous aidera autant à cheminer vers l'avenir que les occasions ratées. Servez-vous des éléments du passé qui peuvent vous être utiles ; tirez profit de vos erreurs et rappelez-vous que rien n'est perdu.

Lorsque vous dites : « Je devrais faire cela », ou « Je ne devrais pas faire cela », vous vous laissez piéger, dans bien des cas, par le passé, respectant des règles fixées par des parents, des professeurs ou autres mentors, des règles qui n'ont peut-être plus de véritable sens pour vous dans la culture actuelle en évolution. Plusieurs des mœurs traditionnelles de notre société, les choses permises et les interdictions qui ont été transmises de génération en génération valent visiblement la peine d'être préservées ; mais plusieurs autres relèvent d'un type de société qui n'existe plus. Pour vivre dans le présent, pour cheminer vers l'avenir et évoluer le plus possible en tant qu'individus, il nous faut commencer à faire des distinctions entre les choses permises et les interdictions qui ont du sens dans le monde d'aujourd'hui et celles qui n'en ont pas. Lorsqu'il vous arrive de vous dire « Je devrais », demandez-vous : « Pourquoi ? » Lorsqu'il vous arrive de vous dire « Je ne devrais pas », demandez-vous : « Pourquoi pas ? » Si vous ne trouvez pas de réponse sensée en rapport avec votre personne et vos besoins de croissance et de réalisation, il est visiblement temps de vous débarrasser de cette règle du passé.

Il peut aussi être temps de dire non. Vous pouvez dire non à une règle du passé qui n'a plus sa place. Vous pouvez aussi dire non à une nouvelle mode de la société que vous ne trouvez pas valable ou compatible avec votre moi intérieur. Vous pouvez même dire non au changement si tel est votre désir. Il y a des interdictions du passé qui n'ont aucun sens à nos yeux, et il y a aussi des changements qui n'ont aucun sens. Une femme pourra s'opposer à l'opinion de sa mère voulant que les avortements constituent un péché et s'opposer en même temps au couple voisin qui s'adonne à des relations sexuelles en groupe.

Mais tout en disant non à sa mère et à ses voisins, cette femme définira aussi plus précisément tout ce qu'elle peut accepter. Une fois que nous avons appris à dire non, nous pouvons nous permettre de dire oui aux choses que nous désirons vraiment. En exerçant votre choix dans ce domaine, il vous arrivera souvent de dire non aux distractions inutiles, aux faux espoirs, aux exigences excessives des autres, aux gens, aux circonstances, aux obligations qui vous donneront l'impression d'être prisonnier et frustré. Mais vous devez aussi être capable de dire oui, pleinement et ouvertement, aux gens et aux circonstances qui comptent à vos yeux.

Le dernier élément de la gestion personnelle créatrice est l'élément central : Ne vous abandonnez jamais complètement à la domination d'un autre. Chacun de nous a besoin de conseils, d'appuis, d'encouragements et d'aide des autres, mais uniquement pour renforcer notre appui individuel. Le thérapeute responsable ne dirige pas la vie de son patient ; il n'est là que pour servir de catalyseur attentif dans la découverte du moi et pour instaurer un changement positif. Dans une existence complexe, chacun a besoin des gens et de leurs expertises propres. Nous devons à certains moments nous en remettre aux pilotes d'avions, aux chirurgiens et aux présidents pour notre existence même, mais l'ultime direction de notre vie doit et peut être tout à fait nôtre.

La différence qu'il y a entre le fait de s'en remettre complètement aux autres et le fait de conserver un contrôle personnel est comparable à celle qui existe entre la femme qui accepte immédiatement une intervention chirurgicale majeure (qui pourra s'avérer inutile par la suite) et celle qui, confrontée à cette décision majeure, compare les opinions de divers médecins, soupèse les risques, réunit tous les renseignements pertinents pour ensuite prendre sa décision, une décision prise dans son meilleur intérêt compte tenu des renseignements qu'elle a obtenus. Vous ne pouvez vous asseoir sur la table d'opération et donner des directives au médecin, mais vous pouvez au préalable vous assurer que vous optez pour la meilleure des solutions. Cela constitue l'essence de la gestion personnelle.

Le développement des techniques de gestion personnelle vous permet de vous diriger, de diriger votre vie en rapport avec le monde, et non de tout régir. L'individu conformiste et rigide qui craint tout ce qui est nouveau, qui insiste pour prendre des décisions conformément à un modèle préétabli et qui craint de perdre son emprise, ne se dirige pas. Il ne se contrôle pas, mais est plutôt contrôlé par toutes les forces extérieures, les obligations et les attentes qu'il a intériorisées. Vous ne pouvez contrôler les circonstances ou les autres personnes, mais vous pouvez vous contrôler ; vous pouvez gérer et diriger votre comportement en réaction aux circonstances et aux gens. La gestion personnelle mène à la découverte de nouvelles directions, d'un nouveau sens de la liberté à l'intérieur des limites de la responsabilité que suppose la liberté véritable.

La personne qui tente de conserver son emprise sur tout d'une façon négative, qui tente de faire en sorte que les circonstances et les gens correspondent à un moule préfabriqué, est semblable à l'homme qui se rend au restaurant chinois et commande toujours les plats de la colonne A. La personne qui pratique la gestion personnelle, qui conserve son pouvoir décisionnel, qui demande pourquoi et pourquoi pas et qui agit conformément à ce qu'elle pense et à ce qu'elle ressent peut commander ses plats à partir de la colonne A, mais aussi des colonnes B et C, ou d'une seule de ces colonnes si c'est ce qu'elle veut et croit être son meilleur intérêt pour le moment. Elle peut aussi choisir de quitter le restaurant sans rien commander.

La personne qui essaie de tout régir d'une façon négative effectue une visite organisée de la vie ; le syndrome du « Si c'est mardi, ce doit être la Belgique » la pousse à se dire : « Si j'ai quanrante-cinq ans, je dois rentrer chez moi. » Mais si l'autocar tombe en panne ou si elle s'aperçoit qu'elle n'est pas chez elle à quarante-cinq ans, elle est complètement à la merci des circonstances, en plus d'avoir raté la majeure partie de la fascination de la vie et de ses propres possibilités.

Lorsque tout ne se déroule pas tel que prévu pour celui qui pratique la gestion personnelle, il dispose au contraire de ressources lui permettant de modifier ses projets, de tenir compte des nouvelles circonstances et de poursuivre sa progression. Toutes sortes de contrariétés peuvent être tournées à notre avantage si nous sommes disposés à fournir l'effort nécessaire.

Grâce à la gestion personnelle, nous en venons à connaître plus précisément ce que nous voulons ; nous en venons à connaître plus clairement nos priorités, nos besoins et nos exigences, et cette connaissance nous apporte inévitablement un plus grand sentiment de liberté et de sécurité. Celui qui se connaît bien et qui dirige sa vie peut tolérer un plus haut niveau d'ambiguïté qu'auparavant, il peut plus facilement affronter l'anxiété et les conflits parce qu'il est plus sûr de ses propres capacités. Un tel individu peut apprécier le changement et improviser en toute confiance lors de situations imprévues. Ainsi que le suggère le psychologue Abraham Maslow, ce genre d'homme peut affronter l'avenir sans crainte parce qu'il croit en lui-même. Cette croyance en soi s'érode chaque fois qu'on s'abandonne complètement au contrôle d'un autre, chaque fois qu'on demande une permission, qu'on consulte les autres ou qu'on s'excuse inutilement. La croyance en soi grandit chaque fois qu'on se demande à soi plutôt qu'aux autres ce que l'on doit faire de sa vie. La gestion personnelle amplifie la signification et la valeur du moi et il en résulte un meilleur sentiment de sa valeur et de sa compétence personnelles.

*Si votre énergie est aussi illimitée que
votre ambition, envisagez sérieusement
de vous consacrer entièrement
à vos projets.*

Joyce Brothers

Trente-quatrième leçon
Comment trouver rapidement le succès

Avouons-le. Chaque fois que nous demandons à un individu très prospère de nous livrer le secret de sa réussite et qu'il répond : « Le travail ardu ! », nous ne pouvons nous empêcher de nous demander quel est le véritable secret de sa bonne fortune.

S'agit-il d'un heureux hasard, d'un parent riche, de quelque manœuvre ingénieuse, qui puisse expliquer la richesse, la renommée ou le pouvoir de cet homme ou de cette femme ? Des questions semblables peuvent réconforter notre ego vacillant, mais elles nous ferment aussi les yeux à la vérité ; et la vérité, dans la plupart des cas, est que lorsque ces gens prospères nous disent qu'ils ont réalisé leurs objectifs à force de travail ardu, *ils sont sérieux* !

Mais vous aussi vous travaillez fort, n'est-ce pas ? Et pourtant vous ne possédez pas de Rolls ou de villa à Acapulco. Cependant, votre définition du travail est probablement quarante à cinquante heures d'efforts intenses chaque semaine, avec des repas à la maison et des fins semaines consacrées au loisir et à la relaxation.

Lorsque les gens exceptionnels parlent de travail ardu, ils parlent de travailler intensément pendant soixante-dix à quatre-vingts heures ou davantage chaque semaine, d'aimer leur travail jusqu'à ce qu'il devienne une passion et de consacrer toutes leurs heures libres à la réflexion, la planification et la progression vers des buts que les autres considèrent impossibles à atteindre. *La consécration totale!*

La consécration totale n'est pas un mode de vie recommandé à tout le monde. Pour plusieurs, le prix à payer est beaucoup trop élevé; mais il y a cependant des milliers de gens qui savent précisément ce qu'ils veulent et qui sont prêts à payer de leur personne pour réussir. Si c'est votre cas, vous aurez plus de pouvoir, et le docteur Brothers, dans cette leçon tirée de son livre intitulé *How to Get Whatever You Want Out of Life* [1], vous fournira des renseignements inestimables sur la manière de jouer le jeu de la « consécration totale » et ce, avec autant de compétence que quiconque...

Êtes-vous prêt à travailler fort pour réussir ? À tout donner ? À sacrifier certains plaisirs parce que votre temps et votre énergie doivent être consacrés à votre objectif ? Serez-vous heureux de faire ces sacrifices ?

Si vous répondez par l'affirmative, vous voulez tout donner et vous êtes sur la bonne voie. Vous avez trouvé le but approprié à votre moi intérieur. Cependant, si vous croyez que vous détesterez d'avoir à consacrer vos soirées au travail et que vous aurez du mal à vous passer de loisirs au cours des fins de semaines, accordez-vous un peu plus de réflexion. Peut-être ne voulez-vous pas

---

1. Littéralement: Comment obtenir ce que vous désirez de la vie (N. du T.).

accéder au sommet de l'échelle, mais juste à mi-chemin. Votre but véritable est sans doute ailleurs.

Les gens qui réussissent en affaires ont une dévotion unique pour leur but, une dévotion que l'on peut qualifier avec justesse de consécration totale. Certains qualifient ces gens d'obsédés du travail. Mais cela comporte une notion de maladie, et si vous faites ce que vous désirez faire plus que tout au monde, pourquoi vous punir en vous privant de certaines des choses qui vous rendent heureux ?

Le succès en affaires ne va pas nécessairement de pair avec un mariage heureux, mais les hommes et les femmes qui veulent accéder au sommet, qui jouent le tout pour le tout décident souvent que leur consécration totale ne laisse aucune place au mariage.

Par ailleurs, les hommes (et non les femmes) qui recherchent ce que j'appelle le « succès corporatif » plutôt que le « succès en entrepreneurship » doivent savoir qu'ils progresseront plus rapidement s'ils sont mariés que s'ils ne le sont pas.

Les psychologues chargés par les grandes corporations de faire subir des tests aux hommes et aux femmes destinés à accéder à des postes supérieurs recherchent une qualité primordiale. Si le candidat la possède, cela accélère sa promotion. Sinon, il n'est plus dans la course. Cette qualité primordiale, c'est la consécration totale, la capacité et le désir de travailler au maximum de sa capacité. Ils recherchent des gens qui refusent les semaines de 40 heures, qui travaillent 60, 80 ou 100 heures par semaine parce qu'ils trouvent leur travail emballant et satisfaisant et parce qu'ils recherchent le succès. La consécration totale est le dénominateur commun aux hommes et aux femmes qui réussissent. On ne peut surestimer son importance.

Prenez Jœ, par exemple. Jœ est représentant en assurance. On l'a appelé « le meilleur représentant du monde de l'assurance ».

Son secret ?

« Je consacre la moindre parcelle de mon énergie à mon travail, dit-il. Dès le début, je travaillais dix à douze heures par jour, sept jours par semaine. Absolument rien d'autre n'avait d'importance. Tout ce que je fais est relié à la vente d'assurance-vie.

« Lorsque j'ai commencé, dit Jœ, on m'a dit qu'en appelant soixante-quinze personnes j'obtiendrais vingt-cinq rendez-vous. Dix de ces rendez-vous allaient probablement être annulés, ce qui m'en laisserait quinze, et je serais capable de rencontrer trois de ces quinze clients potentiels. Cela me ferait une bonne semaine de travail, disait-on.

« J'ai tout chambardé, dit-il. J'appelle soixante-quinze personnes par jour, et non par semaine. Je passe cinq ou six heures au téléphone et je passe cinq ou six heures à voir les gens. La loi de la moyenne joue en ma faveur. Plus je fais d'appels, plus je fais de ventes. »

Les hommes et les femmes qui réussissent doivent avoir une bonne santé et une énergie débordante. L'accession au sommet demande de la force, qu'il s'agisse du sommet du mont Everest ou de celui de la Corporation XYZ. Les gens viennent au monde avec des réserves d'énergie différentes. La personne qui se fatigue vite, qui s'épuise facilement, ferait bien de modifier ses objectifs ou de les limiter. Plutôt que de viser la présidence d'un conglomérat international, contentez-vous de la présidence d'une petite chaîne de boulangeries ou même de la propriété d'une boulangerie de quartier. Pour l'individu qui possède peu d'énergie, le succès en affaires pourrait très bien prendre la forme d'un poste de chef de service au lieu d'un poste de président. Ces moindres buts sont honorables et satisfaisants. Les hommes et les femmes qui se contentent d'un moindre degré de réussite en affaires ont des vies plus riches. Ce sont des gens qui ont le temps de lire et d'aller au théâtre, d'aller en excursion avec leurs enfants, de construire de solides liens familiaux, de s'adonner aux joies de l'amitié et de soigner leurs valeurs humaines. Mais les autres, ceux qui ont de l'énergie et de l'ambition à revendre et qui veulent accéder au sommet, ne perçoivent pas leur consécration comme un sacrifice. Ils sont satisfaits et heureux.

Sarah Caldwell, la réputée directrice de l'Opéra de Boston, fait partie de ces gens. « J'adore ce que je fais, dit-elle. Je peux travailler pendant des jours sans dormir parce que je m'occupe des moindres détails de la production et de la réalisation d'un opéra. De temps à autre, lorsque tout va bien, il se produit un moment magique. Les gens peuvent vivre de moments magiques. »

Elle faisait allusion à la magie qui se passe sur scène, lorsque tout est bien orchestré. Son domaine est l'opéra et elle est une des rares personnes qui ont accédé au sommet. Mais dans toute entreprise il y a des moments de magie vécus par ceux qui se consacrent totalement à leur travail, des moments de magie qui résultent de ce que les psychologues appellent un courant. C'est une expérience tellement emballante qu'elle constitue un puissant argument pour ne pas résister à la séduction de la consécration totale.

Aux yeux de la plupart des gens, la consécration totale est le signe de valeurs déplacées ou de maladie, et ceux qui s'y adonnent sont des obsédés du travail ; mais comme je l'ai dit au début, ces hommes et ces femmes font précisément ce qu'ils veulent faire et ils sont heureux en permanence. Ils forment une race à part. Ce sont des combatifs. Ils visent toujours plus haut que le voisin, plus haut que la fois précédente. Et bien que leur mariage ne soit pas spectaculairement réussi, ils trouvent leurs récompenses ailleurs. L'argent. L'influence. Le pouvoir. Le prestige. Et les moments magiques.

Mais qu'est-ce que c'est que ce fluide ? Et la joie qui l'accompagne ? Sarah Caldwell a très bien décrit tout cela lorsqu'elle parlait de « moments magiques ». Cela ressemble à ce que ressentent les adeptes de la course. Un chercheur a défini ce fluide comme étant « une sensation qui survient lorsqu'on se consacre totalement à ce que l'on fait ». Lorsque cela se produit, les gestes se succèdent conformément à une logique interne qui ne semble nécessiter aucune intervention consciente du participant. Rien ne presse ; l'attention n'est pas sollicitée. Les moments se succèdent. Le passé et le futur s'estompent. Il en est de même de la distinction entre soi et son activité.

Dans un journal de psychologie, il y a plusieurs années, on rapportait qu'un chirurgien était tellement concentré sur son intervention qu'il ne s'était pas du tout rendu compte de l'effrondrement d'une partie du plafond de la salle. Ce n'est qu'après avoir effectué la dernière suture qu'il avait respiré profondément, s'était étiré, avait regardé autour de lui et avait demandé d'un air étonné : « Qu'est-ce que c'est que tout ce plâtre sur le plancher ? » Il avait été dans un état second.

L'une des premières études sur cet état second fut effectuée par un chercheur qui voulait savoir pourquoi certaines personnes jouent avec autant d'intensité. Qu'est-ce que des activités aussi différentes que les échecs et le jacquet, le tennis et le handball, le volleyball et le football ont en commun qui porte les gens à se donner entièrement sans aucune pensée de récompense ? Platon a posé cette question il y a plusieurs siècles et n'a jamais fourni une réponse satisfaisante. Freud a posé la même question et n'a jamais fourni de réponse non plus. Mais le docteur Mihaly Czikazentmihalyi de l'Université de Chicago a isolé un dénominateur commun. Il a interrogé 175 personnes : 30 alpinistes, 30 joueurs de basketball, 30 danseurs modernes, 30 joueurs d'échecs de sexe masculin, 25 de sexe féminin et 30 compositeurs de musique moderne. Il leur a demandé ce qu'ils aimaient tant dans la composition de la musique, le jeu d'échecs ou le fait de gravir des parois rocheuses escarpées. Le prestige ? La gloire ? L'espoir de vaincre ? Ils révélèrent que ce qui les attirait principalement était cet état second qui survenait lorsqu'ils étaient profondément concentrés dans le jeu d'échecs, le basketball ou le reste.

Lorsque les gens connaissent cet état second, ils sont détendus mais ils se sentent en même temps énergiques et rafraîchis. Leur capacité de concentration s'améliore significativement. Ils se sentent très maîtres d'eux-mêmes et de leur univers. Comme le bonheur, l'état second est un sous-produit. La première exigence consiste à travailler aussi fort que possible à quelque chose qui présente un défi. Non pas un énorme défi, mais un défi qui vous pousse à aller juste un peu plus loin, qui vous fait réaliser que vous êtes meilleur aujourd'hui qu'hier ou que la dernière fois que vous vous êtes livré à l'activité. Autre condition préalable, une bonne période de temps ininterrompue. Il est virtuellement impossible d'atteindre cet état second en moins d'une demi-heure, et c'est absolument impossible si des interruptions se produisent.

Il est possible, avec de l'exercice, de provoquer cet état second grâce à un conditionnement, tout comme on se conditionne pour apprendre efficacement. Le secret consiste à analyser les occasions précédentes où cet état second s'est manifesté. Y avait-il un dénominateur commun ? Une fois que vous avez isolé ce dénominateur commun, vous pouvez favoriser la manifestation de l'état second.

Margaret a appris à le faire. Elle exerçait des pressions à Washington D.C. pour le compte d'une association d'écologistes de l'Ouest. Un soir elle s'adossa dans son fauteuil et s'étira. Elle se sentait bien. Elle avait travaillé fort à la rédaction d'un rapport portant sur une loi devant être soumise au Congrès qui allait édicter des nouvelles normes pour l'élimination des rebuts de moulins à papier ; une loi qui, si elle était votée, allait affecter directement et négativement les entreprises de bois d'œuvre et de pâte à papier.

Elle avait étudié le statut actuel de la loi, les efforts de pression des entreprises concernées et ses propres activités, et elle avait suggéré certains éléments destinés à attirer l'attention du public dont les réactions indignées pouvaient convaincre les législateurs de faire passer les intérêts écologiques avant les profits des corporations.

Elle jeta un coup d'œil à l'horloge. Elle regarda de plus près. Quatre heures du matin ! Elle consulta sa montre. L'horloge était exacte. Elle avait travaillé sur le rapport depuis la fin du dîner le soir précédent et elle aurait juré n'avoir pas passé plus de deux ou trois heures à son bureau. Elle avait été tellement prise par son activité que le temps avait passé sans qu'elle s'en rende compte.

Margaret avait déjà connu cette impression. Il y avait eu de temps à autres des jours au bureau où elle avait levé la tête et réalisé que l'heure du départ était passée depuis quelque temps. À ces occasions, elle avait été tellement prise par ce qu'elle faisait que l'heure du lunch avait passé sans qu'elle se rende compte qu'elle avait faim.

En analysant ces incidents, elle réalisa qu'ils étaient similaires, chaque fois provoqués par un projet ou une phase de projet quasi terminée, alors qu'elle avait réuni toutes les données nécessaires et s'apprêtait à résumer le problème, soulignant les positions prises par les intérêts opposés et faisant ses recommandations. Elle réalisa aussi que cela se produisait lors des journées relativement calmes au bureau, des journées dénuées de crises, de réunions importantes ou de visites de gros bonnets.

Une fois cela clairement établi, Margaret décida de modifier son horaire de travail de façon à tirer profit plus fréquemment de cet état second. Chaque fois qu'elle atteignait le stade du déclenchement, elle apportait son travail à la maison de manière à bénéficier d'une période de temps ininterrompue. Et en prenant place à son bureau ces jours-là, elle se conditionnait aussi verbalement. Elle disait : « Maintenant je vais me concentrer aussi intensément que possible. » Ça ne marchait pas toujours. Il y eut des fois où elle dut s'échiner sur ses rapports. Mais elle fut de plus en plus souvent capable de provoquer cet état second, et sa concentration s'en trouva grandement améliorée.

Nul ne peut ni ne doit demeurer dans un état second constant. Cela serait trop épuisant, comme un orgasme prolongé au-delà de la limite d'endurance. L'analogie sexuelle n'a rien de frivole, car l'état second ne se limite pas au travail. Le phénomène se prête à tout ce qui exige de la concentration : les jeux, la peinture, l'écriture, l'apprentissage et, bien sûr, les relations sexuelles. C'est un état véritablement euphorique, le sommet extatique de la consécration totale.

C'est aussi un phénomène stressant, l'organisme tout entier étant soumis à une grande tension, mais il s'agit d'un stress sain. Les chercheurs ont découvert que les gens qui réussissent ont une meilleure santé que ceux qui ne réussissent pas du tout ou à moitié. Une étude portant sur des hommes exceptionnels a démontré que leur taux de mortalité était inférieur d'un tiers à celui d'hommes d'âges comparables qui n'avaient pas de grandes réussites à leur actif. Et le stress, si souvent considéré dommageable, est un facteur positif de leur santé.

Il existe bien sûr une forme de stress dommageable, mais il est important de réaliser que le stress peut aussi être sain. Les gens qui réussissent apprécient le stress qui accompagne les difficultés. Ils sont attirés par ce qu'un chercheur définit comme étant « l'appel du risque calculé ». Ils le recherchent parce qu'ils sont débordants d'énergie. Ils se sentent plus vivants lorsqu'ils sont actifs. Le cerveau de la personne active fonctionne mieux que celui de la personne sédentaire, tout comme l'organisme actif fonctionne mieux que l'organisme sédentaire.

Donc le stress qui accompagne l'état second est un facteur de santé. Il a un effet semblable à celui de l'activité physique et du changement. Et, tout comme ces facteurs de stress sont dangereux lorsqu'ils sont excessifs, il en est de même de l'état second. Mais ne vous inquiétez pas. Votre système se protège lui-même. Vous ne serez pas capable de provoquer en vous un état second suffisamment intense pour entraîner un stress indu et malsain.

« C'est très bien de parler de consécration totale et de l'euphorie de l'état second, objectait un homme d'affaires, mais je connais des hommes et des femmes qui travaillent comme des bêtes de somme et cela ne les mène jamais nulle part. »

« J'en connais aussi, lui dis-je. Et c'est parce qu'ils travaillent comme des bêtes de somme. Le travail ardu ne suffit pas. Vous devez avoir un but. Et vous devez savoir comment mettre à profit votre travail ardu. »

La consécration totale n'est pas simplement du travail ardu : C'est une implication totale. La construction d'un mur de pierre est très exigeante physiquement. Il y a des gens qui construisent des murs de pierre toute leur vie ; et lorsqu'ils meurent, il y a des kilomètres de murs, témoignage muet du dur labeur de ces personnes. Mais il y a d'autres hommes qui érigent des murs de pierre et qui, pendant qu'ils posent les pierres les unes sur les autres, ont une vision en tête, un but. Ce peut être une terrasse avec des rosiers qui grimpent le long des murs de pierre et des chaises installées pour les belles journées d'été. Ou les murs de pierre peuvent entourer un verger ou constituer une frontière. Lorsque ces hommes ont terminé, ils ont plus qu'un mur. C'est le but qui fait la différence, comme le démontrent les expériences de Beth et de Trudy.

Elles obtinrent toutes deux des emplois comme hôtesses de l'air. Chacune d'elles voulait voir le monde. Mais Trudy voulait quelque chose de plus. Elle voulait se lancer en affaires. Elle se disait qu'elle aimerait peut-être posséder sa propre agence de voyages ou travailler pour une chaîne hôtelière, quelque chose qui lui permettrait de voyager. Elle n'avait pas d'idée précise. Son emploi était la première étape vers son but. Elle voyagerait et connaîtrait les grandes villes du monde de même que les genres de personnes qui voyagent, leurs goûts et leurs préférences. Elle aimait beaucoup son travail et accumulait des connaissances. Lorsque les passagers lui posaient des questions sur leur destination, elle leur donnait toutes sortes de conseils. « J'y suis allée il y a deux semaines, » disait-elle, recommandant un restaurant. « Et la nourriture était vraiment très bonne. J'ai dû prendre deux kilos. » Elle consignait dans un carnet les noms de ses endroits favoris et adorait indiquer aux gens les magasins spéciaux et les restaurants situés hors du circuit touristique.

Un cadre de la compagnie aérienne qui voyageait incognito pour s'assurer de la qualité du service et du personnel observa Trudy au travail. Elle était diligente et compétente, toujours prête à aider. Lorsqu'elle ne servait pas les repas, Trudy pouvait prendre un bébé dans ses bras pour permettre à la mère de se détendre un peu, ou répondre aux questions des passagers sur leur destination.

« Cette jeune fille est trop bien pour être hôtesse de l'air, » dit l'inspecteur à son retour de voyage. « C'est une encyclopédie ambulante de ce qu'il faut faire et voir dans chaque ville où nous allons. Et elle travaille d'arrache-pied. » Quelques semaines plus tard, Trudy se vit offrir une promotion. Elle allait travailler sur une série de dépliants de voyages portant sur diverses villes. Aujourd'hui, dix ans plus tard, elle dirige sa propre agence de voyages, l'une des petites agences les plus prospères qui soient.

Et qu'est-il advenu de Beth ? Beth adorait son travail. Elle avait réalisé son rêve en devenant hôtesse de l'air. Mais avec le temps, elle devint désenchantée. Ce n'était rien d'autre qu'un travail exigeant : Il fallait courir dans les allées, servir des repas et desservir, répondre aux questions et s'occuper des passagers ivres, ennuyeux ou malades. Dix ans plus tard, Beth est toujours hôtesse de l'air. Elle est travailleuse et consciencieuse. Elle a maintenant un nouveau but : se marier. Elle se dit que c'est la seule façon de se sortir de son travail qui ne mène nulle part.

À presque tous les égards, Beth a travaillé tout aussi fort que Trudy. Mais Beth n'avait pas de but ; et les gens qui ne savent pas où ils veulent aller ne vont habituellement nulle part.

Si vous savez ce que vous attendez de la vie et que vous vous y consacrez totalement, toutes sortes d'occasions se présenteront. Plusieurs d'entre elles s'offrent à cause de l'inertie ; celle des autres, pas la vôtre. Tout les gens sont fondamentalement paresseux, même ceux qui ont une énergie débordante et un ardent désir de réussite. Le secret consiste à le comprendre et à vous promettre que vous ne céderez pas à la paresse, tout en faisant en sorte que le voisin puisse facilement céder à la sienne. La façon d'y parvenir est de maximiser les possibilités de succès du voisin, de minimiser les efforts qu'il aura à faire pour obtenir ce succès.

Erich travaillait pour une importante firme comptable qui avait la réputation d'être très exigeante avec ses employés. « On nous en demande trop, se plaignaient les collègues d'Erich. Cette manie de nous faire travailler tard est ridicule. Ils devraient embaucher plus de personnel. »

Erich écoutait et travaillait juste un peu plus fort. Il décida que la seule façon de se démarquer des autres comptables était de travailler plus et mieux. Cherchant des façons de mieux travailler, il dressa un plan de réorganisation du travail qui était censé améliorer la productivité. Il mit au point un tableau de réorganisation, le transcrivit sous forme de note et la communiqua à son patron.

Il avait mis tout cela au point avec beaucoup de soins. Sa note de service était bien dactylographiée, mais personnelle. Erich l'avait dactylographiée lui-même et n'avait pas fait appel à l'une des dactylos. Il voulait s'assurer que sa note serait vue par son seul patron, de manière à ce que ce dernier ne craigne pas qu'Erich en fasse part à un supérieur plus important.

Mieux encore, Erich ne s'était pas limité aux grandes lignes de son projet de réorganisation ; il avait indiqué la manière exacte de procéder. Si le patron aimait le projet, il n'avait qu'à dire oui et Erich s'occuperait du reste. Le patron aima le projet. Erich et lui en discutèrent devant un sandwich un soir où ils travaillaient tard. Erich mentionna qu'une réorganisation du bureau allait améliorer la productivité et faire bien voir son patron de ses supérieurs. Il était ainsi plus facile à son patron d'accepter. Erich avait fait tout le travail. Il avait tiré profit de l'inertie du patron. Le projet d'Erich fonctionna si bien que son patron reçut une promotion. Et qui fut promu en même temps que ce dernier ? Erich, bien sûr. Le patron avait besoin de quelqu'un qui pourrait le faire bien voir. Erich est maintenant un cadre supérieur, sur un pied d'égalité avec les autres supérieurs, et il a sauvé plusieurs années dans le processus promotionnel normal parce qu'il a tiré profit du pouvoir de l'inertie.

Cela est très important pour l'homme ou la femme qui progresse. La personne qui réussit le plus vite est celle qui se charge du « surplus » et qui se gagne la reconnaissance des personnes utiles.

La morale est celle-ci : Ne considérez pas la consécration totale comme une maladie ; considérez-la comme le seul mode de vie qui vous permettra d'atteindre votre but et d'obtenir une fabuleuse réussite en affaires. Vous découvrirez que les sacrifices sont insignifiants, compte tenu du fait que vous faites ce que vous désirez le plus. Alors, si vous êtes confronté à la séduction de la consécration totale, cédez.

*Dans bien des cas, l'image que vous
projetez est bien plus valable que votre
compétence ou vos réalisations passées.*

Michael Korda

Trente-cinquième leçon
Comment avoir l'air
d'un gagnant

Vous saviez que nous allions y venir tôt ou tard, n'est-ce pas?

Que voient les gens lorsqu'ils regardent dans votre direction? Une évidente réussite? Ou un évident perdant dans la vie? Et par quel moyen, quel système de valeurs vous jugent-ils si vite, eux qui souvent ne vous connaissent pas?

Vous connaissez déjà la réponse: *par votre apparence!*

Que vous aimiez cela ou non, vous êtes à la poursuite du succès et, aux yeux du monde, l'image que vous projetez est presque aussi importante à votre progrès que cette image intérieure sur laquelle vous avez tant appris au cours des leçons précédentes. Daniel Webster avait raison lorsqu'il disait: «Le monde est davantage régi par les apparences que par les réalités.»

Heureusement, vous pouvez améliorer votre image extérieure en beaucoup moins de temps qu'il ne vous en faut pour améliorer votre image intérieure. Dans cette leçon tirée de son livre, *Success!*, l'auteur et éditeur Michael Korda vous apprendra, étape par étape, comment acquérir ce qu'il appelle «l'apparence d'un gagnant» et «l'équipement du succès».

Le monde foisonne de coûteux symboles de succès qui peuvent tous être achetés, à condition que vous ayez l'argent et le besoin de tels ornements pour vous prouver et prouver aux autres que vous êtes « arrivé ». Mais il y a un symbole que vous pouvez acquérir, avec un petit investissement de temps, d'argent et de bon sens, qui vous procurera plus de satisfaction que tout autre : c'est *la douce apparence du succès que vous afficherez à la face du monde,* et cette acquisition peut se faire avant que vous ne possédiez votre premier million ou que vous accédiez au sommet de la hiérarchie.

Vous pouvez, et vous devez, commencer à vous vêtir pour un maximum de succès, dès aujourd'hui. Et lorsque vous le ferez, les résultats vous étonneront...

C'est peut-être vrai que la beauté est superficielle, mais il n'en demeure pas moins que le monde vous juge très souvent sur votre apparence. Il ne vous sera sans doute pas facile de réussir si vous avez l'air d'un perdant. Si vous voulez être un gagnant, aussi bien commencer à en adopter l'apparence.

De toute évidence, tout dépend du domaine où vous désirez réussir. Un ambitieux guitariste rock sera peut-être désireux de se distinguer par une tenue vestimentaire et une apparence extrêmement excentriques, alors qu'un individu dont l'ambition est d'accéder à un poste de pouvoir chez IBM aura plutôt intérêt à s'acheter des chemises blanches et à se faire couper les cheveux. Vous seul pouvez être certain des normes les plus susceptibles de s'appliquer à votre profession ou à votre travail. En général, vous pouvez difficilement vous tromper en adoptant celles des aînés qui ont réussi dans votre domaine d'activités.

Si vous n'êtes pas Paul Newman, alors...

Votre visage est bien sûr ce que les gens voient le plus souvent. Il n'y a pas grand-chose à faire à ce sujet, et je ne crois pas non plus que la plupart des hommes soient prêts à utiliser du fard ou à recourir à la chirurgie plastique pour corriger un aspect ou l'autre de leur visage. Par ailleurs, vous pouvez tirer le meilleur parti de ce que vous avez, même si vous n'êtes pas Paul Newman. Un nombre étonnant d'hommes, par exemple, se rasent mal. Cela est étrange, mais j'imagine que c'est naturel. Nul ne nous apprend à nous raser. De nombreux hommes, bien à tous égards, arrivent au travail le matin avec des touffes de poils qu'ils n'ont pas vus en se rasant, et terminent leur journée avec une forte repousse de barbe. Ce n'est idéal pour quiconque désire réussir. Apprenez à vous raser soigneusement et adéquatement, changez de rasoir et de crème à barbe jusqu'à ce que vous trouviez une combinaison efficace. Si vous avez la barbe forte, conservez un rasoir électrique dans le tiroir de votre bureau et utilisez-le.

La saine apparence d'une bonne condition physique, qui constitue sans doute le plus grand symbole de réussite qui soit, ne doit pas nécessairement être acquise sur une piste de course de quinze mètres. Les cernes sous les yeux, de même que les yeux rougis se corrigent rapidement au grand air, lorsque l'on fait de l'exercice et que l'on diminue raisonnablement sa consommation de cigarettes et d'alcool. Votre visage doit projeter l'énergie, et non la fatigue et la dissipation ; et compte tenu du fait que la plupart d'entre nous travaillons à l'intérieur, il y a des lacunes à combler à cet égard.

Essayez d'examiner votre visage comme s'il vous était étranger, ce qui devrait être facile en vous levant le matin, et demandez-vous si vous en tirez le meilleur parti possible. Auriez-vous meilleure apparence si vos cheveux étaient légèrement plus longs ? Séparez-vous vos cheveux à gauche parce que votre mère l'a toujours fait, ou s'agit-il vraiment de la meilleure option possible ? Si vous avez les oreilles proéminentes, cela vous aiderait-il d'avoir les cheveux plus longs sur les côtés ? Il serait peut-être souhaitable de vous faire coiffer ; mais n'oubliez pas que l'objectif est une apparence simple et naturelle. Si vous optez finalement pour une coiffure qui requiert l'utilisation d'un sèche-cheveux, d'aérosol et de crème anti-humidité, non seulement le processus vous ennuyera-t-il à la longue, mais cela aura certainement l'air artificiel.

Il est compréhensible que ceux qui souffrent de calvitie prononcée envisagent la possibilité de porter une perruque, mais une mise en garde s'impose ici. Non seulement les perruques portent-elles beaucoup de gens à rire, mais elles représentent aussi une sorte de malhonnêteté, car vous prétendez avoir plus de cheveux que vous n'en avez réellement. S'il y a le moindre risque qu'on remarque votre perruque ou qu'on la devine, n'en portez pas. Une fois que l'on saura que vous portez une perruque, nul ne vous fera plus confiance en rien. Ce sera la seule chose dont la plupart des gens se souviendront en ce qui vous concerne. Mon opinion personnelle est qu'il est habituellement préférable d'accepter son sort et d'être tout à fait chauve. Après tout, vous êtes loin d'être un cas unique.

Le sort ne vous a peut-être pas gratifié d'une dentition parfaite, et peut-être n'êtes-vous pas prêt à faire face à la défense et à la douleur de les faire dorer, à moins que vous ne soyez acteur. Mais il n'y a pas de raison de ne pas les faire nettoyer par un professionnel aussi souvent que nécessaire. Si vous fumez beaucoup, vous avez intérêt à faire nettoyer vos dents par le dentiste le plus souvent possible. Les dents jaunies n'ont rien de très attrayant. En ce qui concerne les ongles, j'ai moi-même tendance à me méfier de ceux dont les ongles sont poncés et polis ; mais ils doivent au moins être courts, taillés et propres, et, étrangement, ce n'est bien souvent pas le cas.

Les lunettes

Il vaut la peine de faire attention aux lunettes què vous choisissez, non seulement parce qu'elles constituent un accessoire utile, mais parce qu'il s'agit d'un des rares éléments vous permettant de développer un style ou une image de marque personnelle. Choisissez une paire qui avantage votre visage. Les simples montures dorées constituent habituellement le meilleur choix. Cependant, le dernier cri en matière de statut social est la paire de lunettes d'aviateur de marque Ray Ban. Mais méfiez-vous : Si vous avez un petit visage, elles vous donneront peut-être l'apparence d'un écureuil. Évitez les montures en plastique coloré ; après l'or, l'écaille de tortue véritable ou synthétique est le meilleur choix. Une exception : Dans l'univers conservateur des chefs d'entreprises, la monture appropriée est faite de plastique transparent de couleur chair, avec de très petites lentilles et des montants très étroits. Les lunettes avec décorations métalliques ou ajouts décoratifs sont à proscrire. Ne vous achetez pas de monture sans d'abord examiner quelques photos de gens qui portent les lunettes qui, à votre avis, vous iront bien. À moins de savoir ce que vous voulez, vous serez étourdi en sortant de chez l'opticien. La variété des styles disponibles aujourd'hui est étonnante.

Les vêtements

La plupart des gens d'affaires se préoccupent beaucoup de leur tenue vestimentaire. Un coup d'œil au premier congrès d'affaires venu vous en fournira rapidement la raison : Les hommes qui parviennent véritablement à s'habiller pour la réussite sont très peu nombreux. Si vous désirez réussir, vous pouvez accélérer les choses en vous habillant correctement, et vous n'avez pas à dépenser une fortune. Rappelez-vous ceci : *La façon dont vous portez vos vêtements est presque aussi importante que les vêtements eux-mêmes.*

L'une des particularités des attitudes des gens à l'égard des vêtements est qu'ils commencent à s'habiller pour le succès une fois qu'ils ont réussi. C'est une erreur. Habillez-vous dès maintenant pour le succès. Votre but est de vous distinguer des autres, subtilement, dignement mais indubitablement, et de montrer que vous êtes un gagnant.

Si vous observez les hauts dirigeants de votre entreprise ou de votre profession, vous constaterez presque toujours qu'ils portent des costumes sombres, bleus ou gris, et unis, avec ou sans rayures ou motifs discrets. Ça ne coûte pas plus cher d'acheter un costume bleu que d'acheter un costume brun ou vert, ou encore un tweed douteux qui semble avoir été conçu pour recouvrir les fauteuils d'une chaîne de motels de troisième ordre. Il n'y a pas une occasion durant la jurnée (ou la soirée) de travail où le costume bleu ou gris sombre n'est pas approprié. Vêtu autrement, vous avez cinquante pour cent de risque de ne pas être à votre place.

Aux niveaux supérieurs de la réussite, un certain statut est rattaché à des tailleurs tels que Morty Sills, Dunhill ou Roland Meledandri à New York, et Huntsman ou Hawes and Curtis Ltd à Londres. Il est possible de payer près de mille dollars pour un costume, et si vos moyens vous le permettent, pourquoi pas ? Le plaisir de le faire confectionner et le fait de porter un symbole visible de la réussite en feront un investissement valable à vos yeux. Cependant, ce type de perfection ne sera décelé que par un petit nombre de gens (la plupart attirés par ce genre de dépense) et n'est pas à la portée des gens ordinaires. Dépensez la même somme que d'habitude, mais assurez-vous que le costume est simple, non croisé et bleu ou gris foncé (le plus foncé possible). Le tissu ne doit pas avoir de motifs fantaisistes. Il est également important d'éviter les coutures et le passepoil contrastants, les poches munies de boutons et les revers si larges qu'ils vous arrivent aux épaules. Recherchez le type de costume que porterait un banquier ou un ministre du culte.

Lorsque vous l'aurez trouvé, soyez exigeant à propos des retouches. Le coût du costume n'est pas important, mais *il doit être ajusté*. Rien ne donne davantage l'allure d'un raté à un homme qu'un costume mal ajusté. Si vous êtes mince, faites resserrer légèrement la taille du veston pour vous donner une apparence élancée. Sinon, adoptez le vieux style Brooks Brothers, avec les côtés du veston à peu près droits. Évitez les tailles exagérément resserrées (le pseudo style continental), à moins que vous ne vouliez ressembler à un preneur aux livres ou à un gigolo.

Le revers droit de votre veston doit être muni d'une boutonnière. Cela est correct, c'est la tradition et la boutonnière y a sa place. Il devrait y avoir trois boutons à chaque manche du veston, et si possible quatre. S'il n'y en a que deux, demandez que l'on en pose un troisième, ou faites-le faire vous-même. Idéalement, les boutons des manches doivent être vrais, c'est-à-dire que vous devriez être capable de boutonner et de déboutonner votre manche, mais pour cela, vous devez vous adresser à un tailleur.

Un autre élément à surveiller dans l'ajustement d'un veston est l'encolure. Il est vital qu'elle soit assez haute pour coller à la partie postérieure du cou plutôt que d'en être éloignée, comme c'est très souvent le cas. Faites preuve de fermeté à cet égard. Insistez pour faire un versement initial sur votre costume, réservant le versement du reste de la somme lorsque vous serez satisfait des retouches, et assurez-vous que vous obtenez satisfaction.

Les pantalons sont presque toujours trop courts. Rien n'est moins attrayant qu'un homme dont les chevilles paraissent lorsqu'il est debout. Insistez pour que vos pantalons soient assez longs pour tomber sur vos chaussures. Que vos pantalons aient des revers ou non n'importe pas, bien qu'en fait les revers donnent meilleure allure à un pantalon en ajoutant un peu de poids au bas de la jambe. Si vos pantalons sont dénués de revers, faites-les couper en leur donnant un petit angle de façon à ce qu'ils descendent plus bas sur les talons de vos chaussures que sur le devant. N'importe quel tailleur peut faire cette retouche.

Méfiez-vous des pantalons trop longs ou trop larges, car vous risquez d'avoir la grâce d'un éléphant. Il est difficile d'éviter les pantalons quelque peu évasés de nos jours, mais essayez. Cette mode n'est pas flatteuse pour la plupart des hommes, et ce type de pantalon ne devrait être porté que par les gens qui ont des jambes longues et minces. Pour les gens plus petits, c'est désastreux, car le bas du veston est trop près du genou pour donner cette allure élancée, si frappante chez les mannequins de six pieds.

Un costume bien ajusté vaut amplement le temps et les efforts qu'on y consacre, même si l'on doit discuter quelque peu avec un tailleur. « Prêt à porter » ne veut pas dire qu'un costume doive vous aller comme un sac.

Un minimum de soins peut aussi s'avérer très profitable. Les gens qui réussissent sont rarement froissés et en sueur, et il n'y a aucune raison que ce soit votre cas. Une averse soudaine pourra transformer votre costume en une chose qu'un conducteur de chameaux arabe refuserait de porter. Il est utile de conserver un costume bien pressé dans votre bureau, pour les urgences. En général, vous devriez posséder suffisamment de costumes pour pouvoir en changer lorsque votre pantalon est défraîchi. Si vous avez un problème de pellicules, prenez rendez-vous chez un dermatologue, mais en attendant, conservez une brosse à vêtements dans le tiroir de votre bureau et utilisez-la. Vous devez avoir l'air reposé, calme et confiant en tout temps. Habillez-vous comme si vous vous attendiez à être promu au bureau de direction d'une minute à l'autre, et peut-être cela vous arrivera-t-il.

Une des façons d'avoir l'air reposé est d'éviter les tissus lourds. La plupart des bureaux sont surchauffés de toute manière ; n'aggravez pas le problème en portant un costume d'hiver qui vous fait transpirer. Procurez-vous le manteau le plus chaud que vous pourrez trouver et portez les mêmes costumes légers à longueur d'année. C'est une bonne façon d'économiser et d'améliorer du même coup son confort.

Les tissus renforcés ont l'immense avantage de garder leur forme et se prêtent admirablement aux voyages.

Par ailleurs, ils ne semblent jamais aussi frais que les tissus ordinaires, et la plupart d'entre eux sont de couleurs criardes et peu attrayantes. Si vous pouvez en trouver un qui soit gris ou bleu foncé, ajoutez-le à votre garde-robe et utilisez-le pour vos voyages. Si votre costume est muni de boutons fantaisistes, faites-les enlever et remplacer par des boutons ordinaires de couleur noire.

Les blazers doivent être bleu foncé, non croisés, avec des boutons dorés. Ils ne doivent jamais, au grand jamais, porter un insigne à la droite de la poitrine, et doivent toujours être portés avec un pantalon gris foncé. Si votre travail vous permet de porter un veston sport de temps à autre, optez pour un tweed léger à motif discret et petit, et faites remplacer les boutons de cuir par des boutons en os. Personnellement, je crois qu'il est correct d'ajouter des pièces de suède aux coudes d'un veston sport que vous possédez depuis une dizaine d'années et dont les manches sont usées. Mais il est ridicule d'acheter un veston sport déjà muni de pièces de suède aux coudes.

Les accessoires du succès

Les chemises

Malgré tout ce que l'on dit à l'effet contraire, une simple chemise blanche a meilleure apparence que n'importe quoi d'autre avec un costume. Si vous pouvez trouver des chemises blanches unies, cent pour cent coton avec des cols munis de boutons, vous avez tout ce qu'il vous faut. (La compagnie Orvis vend exactement ce type de chemise par la poste : pur coton sans aucune fibre synthétique). Les chemises fantaisistes font l'objet d'un culte, mais mon expérience me porte à conclure que les hommes paraissent mieux en chemise blanche, et que ceux qui réussissent le mieux portent des chemises blanches ou bleues, et à l'occasion, une chemise de couleur discrète à rayures très fines.

Une règle de base : *Les manches courtes sont à proscrire.* L'homme qui porte un costume dont les manches ne laissent pas voir deux bons centimètres de manche de chemise semble nu.

C'est aussi une erreur que de mettre quelque chose dans la poche de votre chemise (si cette poche existe). Les poches de chemise sont purement décoratives, et une rangée de stylos à bille et de plumes dans une poche de chemise vous donne l'allure d'un commis préposé au classement.

En dépit de la passion actuelle pour les cols de chemise qui rappellent les ailes de quelque oiseau géant, l'allure de la réussite exige de la retenue et du bon sens à cet égard. Le col de chemise doit avoir l'air naturel et être confortable, et s'il comporte un dispositif vous permettant d'y ajouter des renforts de plastique, utilisez-le et conservez une bonne provision de ces cols. Un col froissé donne l'air négligent et malpropre.

J'imagine que la plupart des hommes préfèrent les boutons ordinaires aux boutons de manchettes. Mais n'oubliez pas : *Si vous devez porter des boutons de manchettes, ils doivent être aussi simples et discrets que possible.* Leur valeur n'a aucune importance ; ce qui importe, c'est qu'ils n'attirent pas l'attention. Les simples boutons de manchettes dorés sont probablement l'idéal, bien qu'ils soient généralement portés par des gens qui les ont reçus en héritage.

Au cours de la présidence de Nixon, on accordait une grande importance aux petits boutons de manchettes émaillés portant le sceau du président des États-Unis que monsieur Nixon distribuait aux visiteurs de la

Maison-Blanche. Ces boutons de manchettes étaient conservés dans ce que John Erlichman appelait le «tiroir Mickey Mouse» du bureau présidentiel, et les gens qui sont restés fidèles à Nixon les portent encore. Plusieurs corporations distribuent de semblables boutons de manchettes émaillés. Ceux-ci sont plus appropriés qu'une paire de boutons en or (ou plaqués or), ou munis d'une fausse pierre précieuse ou d'apparence voyante. Vous pouvez même vous procurer des boutons ayant l'apparence de boutons de manchettes si jamais vous avez eu le malheur de vous acheter des chemises à manchettes ordinaires.

Les cravates

La retenue est également à conseiller en ce qui concerne les cravates. Pour ceux qui ont pris du poids, la cravate très large a certains avantages. Noel Coward avait l'habitude de dire que ses cravates s'élargissaient à mesure qu'il vieillissait, car elles avaient pour objet de dissimuler son ventre. De manière générale, je suggère de ne pas porter de cravates trop larges ou trop minces. Pour ce qui est de la couleur et du motif, la discrétion est de mise. Les rayures, carreaux et pois discrets, de même que les motifs peu voyants sont à conseiller. Mais évitez de porter une cravate qui rappelle une enseigne au néon. La couleur est permise, mais avec modération, et le design doit être discret : pas de formes géométriques voyantes et pas de levers de soleil.

Je doute que quiconque ait vraiment besoin d'une épingle à cravate, compte tenu surtout de la largeur des cravates modernes, mais si vous devez en porter une, assurez-vous qu'elle est absolument unie et peu voyante, portée très bas, près de la ceinture, et qu'elle est invisible lorsque votre veston est boutonné.

Mouchoirs, etc.

La poche de votre veston devrait contenir un mouchoir et rien d'autre. Un mouchoir de toile blanche, uni, ou possiblement en soie, à motif discret, qui ne doit jamais correspondre à la cravate. Une très petite partie du mouchoir doit être visible. Il doit être déplié et quelque peu froissé, et non disposé en petits triangles égaux ou en angles droits.

Ne mettez jamais de plumes, de crayons ou d'étui à pince pour lunettes dans la poche de votre veston. Comme pour la poche de chemise remplie d'objets, cela donne une piètre apparence de réussite. En général, cela permet de diminuer le nombre et le poids des objets que vous transportez, dont la plupart peuvent être rangés dans une serviette de toute façon. Ne commencez pas la journée en remplissant vos poches d'un crayon, d'un stylo, d'un épais portefeuille, de clés, de monnaie, d'un carnet, de cigarettes et d'un briquet ou d'une paire de lunettes. Éliminez tout ce dont vous n'avez pas vraiment besoin, et mettez tout ce que vous devez transporter sur vous dans les poches de votre pantalon, et non dans celles de votre chemise ou de votre veston.

Bretelles et ceintures

Bien des gens prospères portent des bretelles au lieu d'une ceinture. Cela est correct, mais vous devez éviter de porter simultanément des bretelles et une ceinture, ce qui est une indication de grande anxiété. En ce qui concerne la ceinture, elle doit être le plus léger et le plus uni possible. Les lourdes ceintures ouvragées munies de boucles de fantaisie vont bien aux cowboys et ont belle apparence avec un pantalon de denim, mais elles ne servent à rien avec un costume d'affaires, à moins, bien sûr, que vous travailliez dans l'Ouest et que vous portiez également des bottes de cowboy et un Stetson.

Les chaussures

Si vous ne portez pas de bottes de cowboy, examinez bien vos chaussures. Les gens prospères sont très pointilleux à ce sujet, et vous devez l'être aussi. Cela n'a aucun sens de bien vous vêtir si vous portez des chaussures massives qui apparentent vos pieds à ceux de King Kong. Les chaussures indiquent notamment que celui qui les porte n'a pas à marcher dans la boue ou sous la pluie comme les gens ordinaires. Cette fonction des chaussures est aussi vieille que le monde. La forme extrême des bottes de cowboy, avec leur pointe prononcée et leurs hauts talons, était conçue pour souligner que celui qui les portait n'avait jamais à marcher, comme un fermier ou un paysan, mais se déplaçait toujours à cheval. Les nobles d'Espagne portaient des bottes faites d'un cuir si mince et si souple qu'ils devaient monter à cheval directement à partir des escaliers de marbre de leur maison, car ils étaient incapables de marcher dans la boue ou la poussière. Une simple règle à propos des chaussures : *L'allure de la réussite est la chaussure la plus discrète qui soit.*

Lorsqu'il pleut ou qu'il neige, en attendant de devenir l'une de ces personnes très prospères dont nous parlons qui se déplacent en limousine et ne se mouillent jamais les pieds, portez une bonne et solide paire de bottes de marche pour vous rendre au travail et conservez vos chaussures de la réussite au bureau. Je possède une paire de souliers vernis de sport de marque Gucci qui me semblent l'idéal, car ils n'ont jamais besoin d'être cirés et paraissent toujours élégants. Mais bien que la marque Gucci soit devenue une sorte de symbole de réussite, n'importe quel soulier bien fait et léger est adéquat à condition qu'il soit bien ciré et que son talon ne soit pas trop usé.

De manière générale, je crois que les chaussures noires sont préférables aux brunes pour avoir l'allure de la réussite. Vous pouvez porter du noir avec du gris, du bleu et presque n'importe quelle autre couleur, alors que le brun est déconseillé par les puristes avec la tenue de soirée. Évitez les chaussures très pointues ou très carrées. Elles doivent refléter autant que possible la forme du pied et être exemptes de décorations, de coutures fantaisistes, de motifs et de courroies décoratives. Les talons hauts sont absolument à proscrire et n'ont pas leur place pour ce qui est de l'allure de la réussite. Il en est de même des semelles épaisses, des « chaussures spatiales », des chaussures « naturelles », des sandales et des chaussures faites de cuir tressé comme celles des paysans mexicains.

Les chaussettes

Si l'on excepte les pantalons beaucoup trop courts qui laissent voir plusieurs centimètres de jambe, bien peu de choses sont pires que les chaussettes trop courtes ou celles qui s'enroulent autour de vos chevilles. Heureusement, c'est un problème facile à résoudre et qui vous évitera de trop y réfléchir ; procurez-vous des chaussettes noires, pleine longueur et extensibles. Le noir est toujours approprié et se porte avec toute autre couleur, et il vous évite au moins d'avoir à prendre une décision. Les chaussettes extensibles, surtout celles que fabrique Supp-hose, ne descendent jamais.

Chapeaux, etc.

Personnellement, je suis contre le port du chapeau. Mais je conçois qu'ils puissent être nécessaires sous certains climats. Les gens très prospères n'ont pas besoin d'un chapeau (ils ont des limousines) et en portent rarement, mais si c'est une nécessité pour vous, évitez les chapeaux aux rebords très étroits, surtout si vous avez un visage imposant. Évitez tout chapeau bizarre.

Il y en a pour qui tous les chapeaux ont l'air bizarre. Si vous faites partie de cette catégorie, munissez-vous d'un bon parapluie, de couleur noire et muni d'une poignée conventionnelle. Rappelez-vous que l'allure de la réussite exige que vous ayez bonne apparence, même à cinq heures par une journée humide, lorsque tout va mal et que vous vous êtes fait prendre par la pluie à votre retour du lunch. Ce que vous devez faire, c'est projeter l'image de quelqu'un qui n'est jamais affecté par les éléments et qui s'arrange toujours pour paraître frais, énergique et prêt à toute éventualité. La plupart des gens apprennent à s'habiller correctement à force de mauvaises expériences successives. Cela n'est pas nécessaire. Placez-vous devant votre miroir et franchissez la première étape dès aujourd'hui !

La tenue vestimentaire de la femme prospère

La femme a des difficultés beaucoup plus grandes à s'habiller pour la réussite, ne serait-ce qu'à cause du manque d'exemples à suivre. L'industrie du vêtement féminin ne tient pas encore compte du fait que la femme a, autant que l'homme, besoin de vêtements solides, rassurants, qui puissent lui donner l'allure d'une femme d'affaires. Cependant, la femme a un avantage par rapport à l'homme, celui-ci n'ayant aucune idée réelle de ce que la femme prospère devrait porter et, par conséquent, n'étant pas en mesure de formuler des critiques. De plus, sa culture ne lui permet pas de critiquer ouvertement la tenue vestimentaire d'une femme, bien qu'il puisse parfois le faire.

En d'autres termes, si vous êtes une femme d'affaires ambitieuse dont les supérieurs immédiats sont des hommes, vous pouvez probablement vous en permettre beaucoup plus qu'un homme ne le pourrait dans votre situation. Cela ne veut pas dire que ce soit nécessairement une bonne idée de profiter de ce fait, mais cela vaut la peine de vous rappeler qu'un homme qui peut rapidement juger de la tenue vestimentaire d'un cadre masculin, aura du mal à définir exactement celle qui serait appropriée pour vous.

On fabrique tellement de vêtements fantaisistes pour la femme qu'il est difficile d'établir un ensemble de normes à cet égard. Cependant, la plupart des femmes qui réussissent s'efforcent vraiment de trouver une tenue vestimentaire simple qui leur convient et paraît appropriée à leur genre de travail, et qui ne risque pas de susciter de commentaires de la part des hommes. De toute évidence, le milieu de travail y fait pour beaucoup. Une agence de publicité ou une maison d'édition de magazines ont peu de choses en commun avec une banque ou une agence gouvernementale. Mais en général, les femmes qui réussissent évitent les extrêmes dans le domaine vestimentaire.

Il y a quelques années, ma propre banque a abandonné son code vestimentaire et permis à ses employés de se vêtir à peu près comme ils le voulaient. Enfin, pas exactement. Faisant preuve de sexisme inversé, ils ont exigé que les employés mâles portent un costume et une cravate, tout en accordant aux femmes une liberté à peu près totale. Je remarque que plusieurs des caissières portent des jeans serrés, des maillots de corps et même des bain-de-soleil, ce qui est très bien (je suis partisan de la liberté). Mais les femmes qui se destinent aux postes de chèfes de services et de vice-présidentes sont celles qui portent des costumes simples, plutôt conventionnels. Et je crois qu'il y a une leçon à tirer de cela : *En général, les femmes peuvent porter ce qu'elles veulent, tout en respectant certaines limites évidentes ; mais celles qui progressent s'efforcent toujours de s'habiller de façon discrète et conservatrice.*

La meilleure chose qui soit arrivée aux femmes ambitieuses est sans doute la robe-chemisier de Diane von Furstenberg. Elle sied à presque toutes les femmes, est acceptable dans presque toutes les circonstances, qu'il s'agisse d'affaires ou de sorties, constitue un symbole de réussite reconnu et est disponible presque partout au pays. Elle ne se froisse pas, est toujours à la mode, ses motifs sont distinctifs et féminins sans être trop voyants et elle peut être portée dans toutes les longueurs, au-dessous du genou ou à mi-cuisse.

Si j'étais femme d'affaires, je m'en procurerais une douzaine. J'investirais également dans quelques costumes classiques et simples de couleur foncée, surtout le gris et le bleu. Le classique véritable semble être le costume Chanel. Mais il y a beaucoup d'imitations de ce costume qui sont tout aussi appropriées et, portés avec une blouse blanche, non seulement ces costumes ont-ils belle apparence, mais ils se prêtent parfaitement à toute réunion d'affaires, quelle que soit son importance.

La suggestion déplaira peut-être aux féministes, mais je crois qu'une femme qui désire réussir ne pourra se tromper en étudiant soigneusement les magazines de mode féminine, surtout *Vogue* et *Bazaar,* mais aussi *Glamour* et *Mademoiselle* lorsque paraît un numéro consacré à la femme au travail. Vous y trouverez peut-être des idées qui vous permettront de créer votre propre allure de réussite. Vous avez besoin de toute l'aide possible, et c'est pour vous un grand avantage de pouvoir observer ce que portent les autres femmes qui œuvrent dans des professions semblables à la vôtre.

Évitez : les couleurs très vives, les vêtements extravagants, les costumes avec pantalons très serrés, les jupes si courtes qu'elles vous donnent l'allure d'une meneuse de claques, les décolletés plongeants et les jeans.

Les hommes sont naturellement mécontents lorsque les femmes se permettent plus de libertés qu'eux dans leur tenue vestimentaire. Ils sont aussi mal à l'aise dans les situations professionnelles lorsque des vêtements féminins sont trop « sexy ». Il y a peut-être des occasions où une femme peut être avantagée par des vêtements plus séduisants, mais c'est généralement un *avantage à court terme* qui risque d'entraîner une *perte à long terme*. Vous aurez suffisamment de difficultés à progresser vers le sommet en tant que femme, sans les aggraver par votre tenue vestimentaire et votre présentation.

Pendant plusieurs milliers d'années, les femmes se sont habillées de manière à répondre aux caprices des hommes et à prouver qu'aucune autre femme ne pouvait leur faire concurrence sur le plan physique. Les amples robes et les imposantes perruques du dix-huitième siècle, les crinolines, les tournures et les chapeaux du dix-neuvième siècle, les looks excentriques des grands couturiers français de notre époque, tout cela faisait des femmes des objets plus ou moins décoratifs et statiques, dans certains cas à peine capables de se déplacer du point A au point B sans l'assistance d'un homme. Il s'est produit une rébellion naturelle et justifiée contre cette tradition avec tout ce qu'elle supposait en termes de domination et de faux-semblants.

Maintenant, vous devez principalement vous efforcer de mettre les hommes à l'aise. Vous progresserez plus vite de cette manière. Pour cette raison, les extrêmes de la haute couture, qu'il s'agisse de maquillage ou de coiffure, sont une erreur. Il est important de soigner votre apparence, mais pas au point de masquer votre identité et votre apparence naturelles. Je ne peux m'empêcher de remarquer, par exemple, que presque toutes les femmes prospères que je connais utilisent du poli à ongle clair et naturel plutôt que des couleurs vives ou foncées. Cela est sensé. Bien des hommes se sentent menacés à la vue de longs ongles écarlates, même si cela peut les exciter sexuellement dans d'autres contextes. De plus, la femme qui porte de longs ongles laqués semble généralement incapable d'exécuter quelque travail que ce soit. Encore une fois, elle représente un symbole de possession sexuelle imposé par l'homme, la preuve qu'une femme est entretenue et n'a conséquemment aucun besoin de travailler. C'est un détail, mais c'est le genre de chose qui se remarque.

Les femmes ont un grand avantage sur les hommes, car leurs vêtements sont plus confortables. Il est tout à fait possible pour une femme de porter une robe simple, un minimum de sous-vêtements et une paire de chaussures constituées d'à peine plus d'éléments qu'une courroie et un talon, tout en étant respectablement vêtue pour une réunion d'affaires. De nos jours, très peu de gens se préoccuperont de savoir si vous portez des basculottes ou non. Les jambes nues ne causeront sans doute pas de scandale et ne seront peut-être même pas remarquées. Lorsque l'on considère que bien des hommes, en pareilles circonstances, portent des sous-vêtements, des chaussettes, une lourde paire de souliers, un pantalon, une chemise, une cravate et un veston doublé, on s'aperçoit que tout n'est pas nécessairement à l'avantage de l'homme dans la vie.

Ce que l'on porte avec soi

Une femme prospère porte un sac à main.

Une femme prospère porte une serviette.

Une femme prospère ne porte pas les deux à la fois.

Personnellement, je crois qu'une femme d'affaires a intérêt à se munir d'une bonne serviette solide. Cela lui donne une allure professionnelle et établit le sérieux de ses intentions. Tout ce que vous pouvez normalement transporter dans un sac à main peut tout aussi bien être transporté dans une serviette, tout en vous permettant bien plus d'espace.

J'ai la nette impression que, dans une situation de travail, les hommes sont plus nerveux à la vue d'un sac à main lorsqu'il est placé sur leur bureau ou à proximité de celui-ci. Peut-être est-ce dû au fait que le sac à main, dans l'esprit de l'homme, est un symbole de féminité et contient des objets féminins intimes et mystérieux. Dans certains cas, la femme peut tirer avantage de ce phénomène. Si vous avez à négocier avec un homme, déposez votre sac à main sur son bureau en vous assoyant. Vous êtes presque certaine de le distraire et d'ébranler son assurance. Par ailleurs, si vous recherchez les promotions et la réussite dans le monde des affaires, ne mettez jamais un sac à main sur le bureau d'un homme ou sur une table de conférence. Cela projette une image négative qui vous sera fort probablement nuisible, même si les hommes présents n'en sont pas conscients.

Si vous transportez une serviette, optez pour une grande et solide serviette, comme celle d'un homme dans la mesure du possible. Il est bien d'y faire apposer vos initiales. La vue d'une femme munie d'un attaché-case de marque Crouch & Fitzgerald terrorise souvent les hommes d'âge moyen, et c'est un élément dont vous pouvez tirer profit lors de négociations.

Bibliographie

BENNET, Arnold. *How to live on 24 hours a day.* New York : Doubleday & Company, 1910.

BROTHERS, Joyce. *How to get everything you want out of life.* New York : Simon & Schuster, 1978.

CARNEGIE, Dale. *Comment se faire des amis.* Paris : Hachette, 1963.

CLASON, George S. *L'homme le plus riche de Babylone.* Saint-Hubert, Québec : Les éditions Un monde différent, 1982.

CONKLIN, Robert. *Motivez les gens à agir.* Saint-Hubert, Québec : Les éditions Un monde différent, 1984.

DYER, Wayne W. *Vos zones erronées.* Montréal : Presses-Sélect, 1976.

HILL, Napoleon. *Réfléchissez et devenez riche.* Montréal : Le Jour, éditeur, 1980.

KORDA, Michael. *Success : How every man and woman can achieve it.* New York : Random House, 1977.

LAKEIN, Alan. *Comment contrôler votre temps et votre vie.* Saint-Hubert, Québec : Les éditions Un monde différent, 1985.

LEBOEUF, Michæl. *Working Smart.* New York : McGraw-Hill Book Company, 1979.

O'NEILL, George et Nena. *Shifting gears : Finding security in a changing world.* New York : M. Evans & Co., Inc., 1974.

ROBERT, Cavett. *Obtenez des résultats positifs grâce à votre connaissance du comportement humain.* Saint-Hubert, Québec : Les éditions Un monde différent, 1984.

Achevé d'imprimer à Montmagny
par les travailleurs des ateliers Marquis Ltée
en mars 1987

DATE DE RETOUR
Veuillez rapporter ce volume avant ou
la dernière date ci-dessous indiquée.

10 MY	1 Je	3 De	20 JUIL
7 Je	15 Je	8 Ja	15 AOUT
12 Jl	21 No	21 AP	5 SEP
30 Ag	28 No	21 Fe	
13 Se	27 De	16 Mr	
1 De	26 My	26 JAN	
5 De	16 Jê	2 SEP	
22 Jl	21 No	24 SEP	
16 Fe	5 Je	17 NOV	
2 Mr	13 Jl	8 DEC	